GULLIVER
D0588272

Paranoid Park wurde von Gus van Sant für das Kino verfilmt und mit dem Sonderpreis das Cannes Film Festivals 2007 und dem Luchs des Monats (Die Zeit/Radio Bremen) ausgezeichnet. Der Roman stand außerdem auf der Liste der besten 7 Bücher für junge Leser (Focus/Deutschlandfunk).

Blake Nelson

PARANOID PARK

Roman

Aus dem Amerikanischen
von Heike Brandt

EIN **GULLIVER** VON **BELTZ & GELBERG**

Ebenfalls lieferbar: »Paranoid Park« im Unterricht
in der Reihe Lesen – Verstehen – Lernen
ISBN 978-3-407-62665-3
Beltz Medien Service, Postfach 10 05 65, 69445 Weinheim
Download unter: www.beltz.de/lehrer

FUER DREW

www.gulliver-welten.de
Gulliver 1161

Die amerikanische Originalausgabe erschien unter demselben Titel
bei Viking, Penguin Group

Published by arrangement with Blake Nelson
Dieses Werk wurde vermittelt durch die
Literarische Agentur Thomas Schlück GmbH, Garbsen
Aus dem Amerikanischen von Heike Brandt
Das Zitat auf Seite 5 nach der Übersetzung von Swetlana Geier
Lektorat: Susanne Härtel
Neue Rechtschreibung
Markenkonzept: Groothuis, Lohfert, Consorten, Hamburg
Einbandgestaltung: Illustre Gesellschaft
Gesamtherstellung: Beltz Druckpartner, Hemsbach
Printed in Germany
ISBN 978-3-407-74161-5
3 4 5 6 7 14 13 12 11 10

»**Junger Mann**«, fuhr er fort, indem
er sich wieder aufrichtete, »in Ihrem
Gesicht lese ich etwas wie Gram.«

Verbrechen und Strafe
Fjodor Dostojewskij

SEASIDE, OREGON

3. JANUAR AM ABEND

Liebe …!

Ich bin im Strandhaus von meinem Onkel Tommy. Es ist Abend, gegen neun Uhr. Ich sitze im oberen Stock, ganz alleine. Mit einem Stift, einem Spiralblock …

Ich weiß nicht, wie ich anfangen soll. Ich weiß nicht mal, ob ich das überhaupt kann. Aber ich versuche es. Schlimmer kann's dadurch auch nicht werden …

Draußen regnet es und es ist dunkel. Von ferne klingt die Brandung, als würden kleine Bomben explodieren.

Also gut. Bin gerade unten gewesen und hab mir heißen Kakao gemacht.

Jetzt mal locker, Alter, und fang an zu schreiben. Das bin ich, im Selbstgespräch. Ich muss einfach am Anfang beginnen, ganz entspannt, ganz langsam …

Paranoid Park. Da hat's angefangen. Der Paranoid Park ist ein Skater-Park im Zentrum von Portland. Unter der Eastside Brücke, bei den alten Lagerhäusern. Es ist ein illegaler, ein »Street-Park«, was bedeutet, es gibt dort keine Regeln, es gibt keinen Besitzer und man muss fürs Skaten nicht bezahlen. Der Platz soll vor Jahren von den ersten Skatern angelegt worden sein und hat sich irgendwie die ganze Zeit gehalten.

Da kommen die besten Skater hin, aus Kalifornien, von der Ostküste, von überall her. Außerdem hängen hier die Straßenkids ab. Es gibt einen Haufen Gerüchte, zum Beispiel soll da mal ein Skinhead abgestochen worden sein und so was. Daher sagen alle Paranoid Park. Weil man da voll die Paranoia schieben kann.

Ich kannte den Paranoid Park durch Jared Fitch. Der ist auf meiner Schule, im zwölften Jahrgang. Er ist ziemlich verrückt, aber irgendwie cool und einer der besten Skater unserer Schule. Der hängt sich mit seinem Skateboard an einen Lieferwagen, der vierzig Sachen fährt, und lässt sich dabei filmen.

So sind wir Freunde geworden. Ich wurde langsam gut und er zeigte mir Tricks. Er hatte Sachen von sich auf Video. Und außerdem jede Menge andere Skater-Videos – solche, die's in den Geschäften bei uns nicht gibt. Er wusste einfach immer, was angesagt war, und so sind wir zusammengekommen.

Im letzten Sommer waren wir jeden Tag skaten. Wir sind in die Stadt, zum Beispiel in das alte Parkhaus, das abgerissen werden sollte, wo alle heimlich rein sind und Party gemacht haben. Da sind wir dann richtig gute Freunde geworden. Und wir haben auch andere Streetspots geskatet, zum Bespiel die berühmte Selbstmörder-Treppe am Fluss, die total angesagt war. Solche Spots.

Wie gesagt, ich war noch nicht so weit wie Jared, aber ich übte. Und er fand es gut, dass ich jünger war und ehrgeizig. Dass er der Lehrer war und mir Sachen zeigte.

Jedenfalls, in der letzten Woche der Sommerferien, da waren wir in der Stadt, und Jared meinte, lass uns doch mal den Paranoid Park fahren. Erst mal habe ich nichts gesagt. Klar, gehört hatte ich schon vom Paranoid Park, war aber noch nie auf die Idee gekommen, da hinzugehen. Weil das für mich bestimmt eine Nummer zu groß war. Doch als ich sagte, ich glaube, dafür bin ich noch nicht gut genug, lachte Jared und sagte: »Niemand ist für den Paranoid Park gut genug.«

Also sind wir hin. Klar, ich war nervös, stand aber auch irgendwie unter Strom. Den Paranoid Park fahren, das war eine Leistung. Das war was zum Erzählen.

Wir fuhren über die Eastside-Brücke, kreiselten die Abfahrt runter und parkten dann neben einem alten Backsteinbau.

Ich weiß noch, dass ich auf der Straße Schienen gesehen habe. Sie glänzten, als würden sie benutzt. Wurden sie auch, wie sich herausstellte.

Der Skatepark selber war über uns, direkt unter der Brücke. Man konnte die Autos und Laster oben drüberrattern hören. Ringsum waren hauptsächlich Industrieanlagen – alte Lagerhäuser und Parkplätze, eingefallene Zäune und so was. Am Ende der Straße war noch ein richtiges Bürogebäude, zu dem immer mal wieder Angestellte fuhren. Sie sahen aus, als fürchteten sie sich ein wenig vor den Jugendlichen, die sich hier rumtrieben.

Wir trugen unsere Bretter die Böschung hoch, drückten uns durch ein Loch im Maschendrahtzaun und krochen auf die Plattform, von der aus wir das ganze Gelände überblicken konnten. Es war kleiner, als ich gedacht hatte, und ziemlich müllig. Jede Menge Bierdosen und Abfall und Graffiti. Aber irgendwie hatte der Ort was, er strahlte was aus.

Es waren nicht viele Leute da – zwei Jungs waren am Skaten, ein Dutzend oder so standen rechts von uns an der Mauer. Wir guckten einem dürren älteren Typen zu, der in dem Bowl gegenüber von uns einen Grind machte. Er trug braune Hosen, die unterm Knie abgeschnitten waren, schwarze Socken und verschlissene schwarze Vans. Auf seinen Armen prangten zwei fette Tattoos und über seinen Bauch zog sich eine große Narbe. Sein Brett war ein komisches altes Teil, völlig zerfleddert, aber der Typ brachte es total. Er war spitze.

Die anderen Jungs waren genauso gut. Die konnten nicht nur skaten, die hatten alle ihren eigenen Style. Ich hatte in der Stadt schon mal den einen oder anderen echten Hardcore-Skater gesehen. Aber noch nie alle auf einmal. Das hier war ihr Park, keine Frage. Das Zentrum des wahren Skater-Universums. Jedenfalls kam mir das so vor.

Jared machte einen Drop-in und skatete den Bowl. Mir wurde ganz mulmig beim Zugucken. Wie gesagt, er gehörte zu den besten Skatern, die ich kannte, aber im Vergleich zu den Typen hier war das gar nichts. Ich fuhr dann auch, habe ein paar Runden gedreht und hab's geschafft, nicht ganz blöde auszusehen. Es war voll geil – der Adrenalin-Schub und alles. Skaten im Paranoid Park mit den ganzen großen Nummern!

Das war in der letzten Ferienwoche. In derselben Woche hatte mich Jennifer Hasselbach angerufen. Mit der hatte ich Anfang der Sommerferien was angefangen. Im Juli und August hatte sie dann in einem Kinderferienlager gearbeitet, so dass wir uns nicht sehen konnten. Jetzt war sie zurück und lief mir echt hinterher. In der Woche hatte sie drei Mal angerufen.

Ich war nicht so begeistert. Ich meine, sie war süß und alles. Doch als ich ihr vom Paranoid Park erzählte, hat sie gar nichts gerafft. Sie so: »Was willst du in so einem versifften Park, wo's doch Skate City gibt?« Im Skate City skaten die braven Schüler. Skate City ist ein total öder Indoor-Park hinter dem Einkaufszentrum. Wenn Jennifer nicht kapierte, was das für ein Unterschied war, was sollte es dann?

Noch eins, und ich glaube, das ist auch wichtig: Die ganzen Sommerferien über hatten sich meine Eltern gestritten und von Trennung geredet. Stress ohne Ende. Mein kleiner Bruder Henry hat andauernd gekotzt. Erst wollte meine Mutter ausziehen, dann hat sie's doch nicht getan, und dann ist mein Dad zu meinem Onkel Tommy. Eine schreckliche Zeit; der ganze Sommer war eine einzige Katastrophe. Das ist wahrscheinlich auch ein Grund, warum ich mehr mit Jared abhing. Der war immer so drauf, dass ich alles vergaß, wenn ich mit ihm zusammen war. Deshalb hat mich der Paranoid Park auch angezogen – denn egal, wie schlimm es bei mir zu Hause war, die Typen, die da abhingen, hatten es mit Sicherheit schlimmer erwischt. Das waren echt Ausgestoßene. Manche hatten wahrscheinlich ihr Leben lang auf der Straße verbracht. Denen konnte keiner was.

Jedenfalls ging die Schule wieder los. Etwa eine Woche lang hat's Spaß gemacht und dann war's ätzend wie sonst. Jared und ich haben uns immer mehr aufs Skaten verlegt. Wir wollten noch mal zum Paranoid Park. An einem Samstagabend. Der nächste Samstag war der siebzehnte September.

Wir hatten alles geplant. Ich habe meiner Mutter gesagt, dass ich bei Jared übernachten würde, damit wir gleich morgens zu der Wintersport-Messe gehen konnten. Da Jareds

Mutter an dem Wochenende nach Las Vegas fuhr, konnten wir machen, was wir wollten. Zum Beispiel die ganze Nacht wegbleiben.

Blöde war nur, dass Jennifer Hasselbach genau an dem Abend mit mir weggehen wollte. In der Schule schäkerte sie mit mir rum und deutete an, dass sie's machen würde. Das war verlockend. Aber ich wollte echt zum Paranoid Park. Mit Jennifer rummachen könnte ich ein andermal.

Der Plan war so: Meine Mutter wollte mir ihr Auto leihen. Ich würde zu Jared fahren. Und am Abend würden wir beide den Paranoid Park checken.

Aber dann gab's ein Problem.

Den ganzen Sommer über war Jared auf eine abgedrehte College-Studentin scharf gewesen, die im Café bei ihm um die Ecke gearbeitet hatte. Angeblich stand sie total auf Sex, und alle sagten, sie sei reichlich durchgeknallt. Jared war ihr den ganzen Sommer hinterher gewesen, aber nie hatte es geklappt. Doch am Abend vor unserem Wochenende hatte sie ihn angerufen. Sie langweilte sich und wollte, dass Jared zu ihr ins College kommt, Party machen. Selbstredend hat er ja gesagt.

Als ich bei ihm eintraf, war er am Packen. Ich war total stinkig. Aber ich konnte nichts machen. Jared war sicher, dass es voll abgehen würde, und das würde er sich nicht entgehen lassen.

Ich saß auf seinem Bett und schaute zu, wie er Kondome

in die Tasche steckte. Ich sagte, dass es total beknackt sei, wegen irgendeinem abgedrehten Mädchen den Paranoid Park sausen zu lassen – noch dazu wegen einer, die ihn den ganzen Sommer über habe auflaufen lassen. Er schüttelte den Kopf. Er war sicher, sie würde es mit ihm treiben. Er sagte, ich solle Jennifer anrufen. Sie schien doch scharf auf mich zu sein – worauf wartete ich denn noch? Skaten könnten wir doch auch am nächsten Wochenende.

Aber Jennifer war mir nicht so wichtig. Wirklich wichtig war mir der Paranoid Park.

Ich brachte Jared zum Busbahnhof. Er redete nur von der Nummer, die er schieben würde. Ich sagte nicht viel. Ich weiß noch, dass ich traurig war, als ich ihn absetzte. Ich weiß noch, dass ich wünschte, ich hätte bessere Freunde.

Das war das Blöde an meiner Schule. Die normalen Leute waren langweilig, und die paar, die cool waren, so wie Jared, die waren einfach zu abgedreht. Es machte zwar Spaß, mit denen abzuhängen, aber die zogen nie irgendwas richtig durch. Auf die konnte man sich nie verlassen.

Als ich Jared am Busbahnhof absetzte, gab er mir seinen Schlüssel, so dass ich trotzdem bei ihm übernachten konnte. Es war niemand sonst im Haus, also hatte ich immer noch alle Optionen. Ich konnte Jennifer anrufen oder am Computer spielen, was auch immer. Ich hatte die ganze Nacht für mich.

Ich ließ den Busbahnhof hinter mir und fuhr in der Gegend rum. An dem Abend konnte man zum ersten Mal den Herbst spüren; die Luft roch nach verbranntem Holz und hatte diesen trockenen, nebligen Geschmack. Auch andere Oberschüler fuhren in ihren Autos herum; alles war neu und aufregend, das Schuljahr, die Mode, die Musik im Radio.

Irgendwann hatte ich genug von der Fahrerei. Auf der Rückbank lag mein Skateboard, und ich überlegte, ob ich ins Skate City gehen sollte. Doch das war mir zu ätzend. Dann wollte ich zur Selbstmörder-Treppe, bis mir einfiel, dass die nachts verschlossen war. Und das große Parkhaus war inzwischen eingezäunt …

Dann wendete ich und fuhr Richtung Paranoid Park. Ich weiß nicht, was ich mir dabei gedacht habe. Eigentlich war ich noch nicht so weit, alleine da hinzugehen. Ich war nicht gut genug. Aber aus irgendeinem Grund bin ich doch hin.

Ich kreiselte unter die Eastside-Brücke, wie Jared es getan hatte, aber da unten war es so dunkel und einsam, dass ich lieber dort nicht parkte. Dem Auto meiner Mutter sollte nichts passieren. Ich fuhr zurück über die Brücke, stellte den Wagen im besseren Teil des Zentrums ab und fuhr dann auf meinem Skateboard zurück.

Eine rostige Treppe führte von der Brücke runter. Beim Hinabsteigen sah ich den ganzen Park unter mir. Es war Samstagabend und knallvoll: krasse Skater, heiße Bräute, Leute, die Party machten, rumalberten, abhingen. Ich spürte, wie mein Herz klopfte, als ich von der Treppe sprang.

Das hier war nicht irgendeine Schüler-Bierparty. Das hier war ein anderes Kaliber.

Ich machte mir einen Plan: Erst mal würde ich nicht skaten, bloß sitzen und gucken und nicht auffallen. Vielleicht würde ich überhaupt nicht skaten; vielleicht würde ich bloß die Lage checken, für später, wenn Jared wieder dabei war.

Und das habe ich auch gemacht. Ich fand einen freien Platz an der großen Betonmauer und setzte mich auf mein Brett, als würde ich auf jemanden warten. Das klappte bestens. Niemand belästigte mich und es hat total Spaß gemacht. Ich hätte die ganze Nacht dasitzen können, den Skatern zugucken und den Mädchen und allem, was sonst noch so abging. Das Blöde war, dass ich auch noch an andere Sachen denken musste. Zum Beispiel an meine Eltern. Mein Dad war angeblich ausgezogen, aber er kam immer wieder vorbei und nervte, und das kriegte meine Mom nicht auf die Reihe. Und mein armer Bruder Henry – der war dreizehn und konnte sich so aufregen, dass er sein Abendbrot auskotzte. So war der. Der kam mit Stress überhaupt nicht klar.

Und ich dachte an Jennifer. Sie schien es echt auf mich abgesehen zu haben. Ich meine, sie war nett und alles, aber wollte ich wirklich mit ihr gehen? Außerdem war sie noch »Jungfrau«, was bedeutete, dass sie »es« irgendwann einmal tun wollte, und dann würde es richtig ernst werden. Ich meine, es gibt Schlimmeres. Ich hätte mir nur gewünscht, dass sie mir besser gefallen würde. Ich hätte mir gewünscht, wir hätten mehr gemeinsam …

»Hey«, sagte jemand hinter mir.

Ich drehte mich um. Über mir auf der Betonmauer saß

ein schräger Typ. Neben ihm hockte noch einer und ein Mädchen. Die beiden Typen glotzten zu mir runter. Das Mädchen zündete sich eine Zigarette an.

»Fährst du mit dem Brett oder willst du bloß den ganzen Abend draufsitzen?«

Ich schüttelte den Kopf. »Nö. Ich warte auf wen.«

»Kann ich's haben? Solange du wartest?«

»Nee, lieber nicht.«

»Was ist das für 'n Teil?«

Ich sagte es ihm. Er gab zu, dass er nicht viel Ahnung von Skateboards hatte, und fragte mich aus. Ich erklärte ihm, was für ein Deck meins hatte und was für Trucks.

Er fragte noch mal, ob ich es ihm borgen würde. »Bloß fünf Minuten. Eine Runde. Komm schon. Wenn ich nicht zurückkomme, kannst du das Mädchen haben«, sagte er.

Die beiden Typen lachten, das Mädchen aber nicht. Sie war jünger als die beiden. Die drei hatten Bier und Zigaretten und wahrscheinlich noch anderes Zeug. Die beiden Jungs waren Punks, noch zu jung zum Alkoholkaufen. Sie waren schmutzig und hatten diesen harten Blick drauf. Jared nannte solche Leute »Straßenkids«.

Ich wollte mein Brett nicht verleihen, aber ich konnte mir nicht vorstellen, wie ich das anstellen sollte. Das hat der Typ mir offenbar angesehen. Er sprang von der Mauer. »Komm schon, Alter, fünf Minuten«, sagte er.

»Mein Freund ist gleich hier«, sagte ich.

»Alter«, sagte er entschieden. »Fünf Minuten. Und dann kriegst du's zurück. Großes Ehrenwort.«

Ich gab's ihm.

Er guckte es von oben bis unten an und ging dann damit zur Kante der Rampe. Auf der anderen Seite wartete ein Mädchen, und er bedeutete ihr, sie solle zuerst fahren. Er machte eine Riesenshow draus. »Nein, nach dir, ich bestehe darauf«, rief er und winkte schwungvoll. Ein echter Showtyp, dachte ich. Der hatte richtig was Theatermäßiges.

Er fuhr von der Rampe. Technisch war er nicht besonders gut, er konnte nur fahren. Aber er hatte Style. Er schlängelte sich durch die Anlage, wobei er öfter beinahe stürzte. Wer ihn sah, lachte. »Hey, Schramme!«, rief jemand. Andere Leute johlten und schrien. Er war so was wie der Hausclown. Aber die Leute hatten auch ein bisschen Schiss vor ihm, das konnte man sehen.

Derweil stellten sich seine Freunde vor. An den Namen von dem Typen kann ich mich nicht erinnern. Das Mädchen hieß Paisley. Der Typ fragte mich, ob ich öfter herkäme, denn sie hätten mich noch nie gesehen. Ich sagte, ich sei bis jetzt erst einmal hier gewesen. Ich weiß noch, dass ich den Typen nicht wirklich angucken wollte, aber das Mädchen hab ich irgendwie angestarrt. Sie war so jung – jünger als ich, vielleicht vierzehn. Schramme und sein Freund waren beide älter. Die ganze Situation war ziemlich kippelig.

»Guckt mal, Schramme!«, sagte der Typ. Schramme hatte das Gleichgewicht verloren und machte daraus eine große Show, wedelte mit den Armen, als wollte er sich über die ernsthaften Skater lustig machen. Er war ein echter Clown.

Nach genau fünf Minuten kam er zurück. Er kam den Bowl hochgeschossen, fing das Brett mit einer Hand auf und gab es mir zurück.

»Danke, mein Freund«, sagte er.

»Klar doch«, sagte ich. Mir fiel auf, dass ihm ein Zahn fehlte, ein Schneidezahn.

Eigentlich hatte ich hinterher gleich abhauen wollen. Aber sobald ich mein Brett zurückhatte, fühlte ich mich sicher oder zumindest sicher genug, um noch ein bisschen bleiben zu können. Ich nehme mal an, ich war neugierig auf Schramme und seine Freunde.

Wir redeten. Ich saß mit ihnen auf der Mauer. Schramme und der andere Typ blödelten rum, sie wollten mich beeindrucken, denke ich. Das Mädchen sagte nichts. Ich musste sie immer wieder angucken. Sie hatte ein selbstgemachtes Tattoo am Handgelenk und schwarz lackierte Fingernägel, ihr Gesicht hatte was Höhlenmenschmäßiges. Ich hätte gerne gewusst, wo sie herkam, was für eine Familie sie hatte, ob sie überhaupt noch eine hatte.

Schramme redete am meisten. Er stellte mir Fragen übers Skaten, behandelte mich wie einen Experten und betonte immer, wie sehr ihm die Philosophie des Skatens gefiel, vor allem das Rebellische dabei. Ein Sport für Einzelgänger, sagte er. Die Skater seien wie Samurais, bloß hätten die Skater Bretter statt Schwerter.

Ich wollte von ihm was über den Paranoid Park wissen, zum Beispiel, was mit dem abgestochenen Skinhead war. Schramme erzählte mir die ganze Geschichte – dass der Skinhead gar nicht wirklich abgestochen worden sei, dass er eigentlich gar kein Skinhead gewesen sei und dass man die ganze Geschichte im Laufe der Jahre mächtig aufgeplustert habe.

Es war cool, mit den Typen zu reden. Ich hatte längst gehen wollen, aber ich wusste nicht, wohin, und es war irgendwie spannend, sich mit so einem wie Schramme zu unterhalten. Er war schon die ganze Westküste rauf- und runtergezogen, war illegal auf Zügen mitgefahren und hatte in Busbahnhöfen geschlafen und so. Im Sommer hatte er sich in San Diego mit einem Bullen geprügelt, so dass er da nicht mehr hinkonnte. Er wollte in Phoenix überwintern und mit einem Freund eine Band aufmachen. Ganz schön wilde Sachen. Vor allem das Aufspringen auf Züge. Eisenbahnen fand ich schon immer gut. Und ich hab mir immer gewünscht, mal auf einen Zug aufzuspringen.

Nach einer Weile war ihr Bier alle. Und sie brauchten Zigaretten. Schramme sagte, er würde gehen. Ob ich Geld hätte?

Ich hatte mir schon gedacht, dass die mir irgendwann mal mit Geld kommen würden, also sagte ich erst mal nein. Aber als dann die anderen jeder fünf Dollar zum Vorschein brachten, fand auch ich in meiner Jeanstasche einen Fünfer und gab den dazu. Schramme fragte, ob ich ein Auto hätte, und da war ich froh, dass ich es auf der anderen Seite des Flusses gelassen hatte. Ich sagte nein, ich sei mit dem Bus gekommen.

Schramme bot an, zum nächsten Supermarkt zu laufen. Das sei ziemlich weit. Ob ich mit ihm mitgehen würde?

Nein. Ich wollte lieber hier abhängen. Aber dann guckte

der andere Typ auf seine Uhr. »Hey, der Zehn-Uhr-Zwanzig kommt gleich«, sagte er. »Den könnt ihr kriegen.«

»Hey«, sagte Schramme zu mir. »Haste Lust, auf'n Zug zu springen?«

Ich blickte zu ihm hoch. Doch, irgendwie schon. »Was für 'n Zug?«

»Der Zehn-Uhr-Zwanzig. Der kommt jede Nacht hier durch. Mit dem können wir bis zum Supermarkt fahren.«

Sie überredeten mich. Oder ich wollte selber. Wie's genau war, weiß ich nicht mehr.

Der andere Typ und das Mädchen wollten auf mein Brett aufpassen, aber ich sagte, ich würde es mitnehmen. Schramme sagte, es würde im Weg sein, aber ich ließ mich nicht umstimmen.

Wir krochen durch das Loch im Maschendrahtzaun. Ich folgte Schramme, rutschte auf dem Arsch die Böschung runter. Ich blickte auf Schrammes Stoppelkopf und hoffte, dass ich keinen Fehler machte. Er würde mich doch nicht ausrauben, oder? Mir mein Brett klauen? Und wenn schon. In dem Moment war mir das ziemlich egal.

Am Fuße des Hügels klopften wir uns den Sand ab. Da hörte ich den Zug tuten. Ich spürte den Boden unter mir beben.

»Das ist er!«, schrie Schramme und rannte aufgeregt los. Ich lief ihm hinterher, mein ganzer Körper kribbelte vor Vorfreude. Ich konnte nicht glauben, dass das wirklich geschah. *Ich springe auf einen Zug!* Jared würde platzen vor Neid. Geschah ihm ganz recht!

Wir rannten an den alten Gebäuden vorbei, bis wir zu den Gleisen kamen. Es war der Zug, er kam wirklich. Sein einzelner Scheinwerfer leuchtete uns direkt an.

»Zurück«, sagte Schramme, als wir am Gleisbett waren. »Die dürfen uns nicht sehen.«

Wir duckten uns hinter eine Laderampe. Da blieben wir hocken, spähten, schnauften.

Die Lokomotive war auf unserer Höhe. Unglaublich, wie groß und mächtig sie aussah.

Als sie durch war, richtete sich Schramme auf. Er betrachtete die vorbeifahrenden Waggons. Dann entschied er sich für einen und lief los, neben dem Waggon her.

»Komm schon, lauf!«, schrie er über den Lärm des Zuges hinweg.

Ich klemmte mir das Brett unter den Arm und raste hinter Schramme her, ins Dunkle.

Der Zug schien nicht sehr schnell zu sein – zumindest nicht bis zu dem Moment, als ich neben ihm war. Wir mussten mächtig sprinten, um dranzubleiben. Schramme steuerte auf eine Metallleiter zu, die an der Seite eines Getreidewaggons hing. Er sprang, bekam sie zu fassen und zog sich hoch, bis er auf der untersten Sprosse stand. Er winkte mir zu, ich solle es auch so machen.

Ich hatte immer noch mein Skateboard und das war lästig. Doch ich schob es rüber in die linke Hand und packte mit der rechten die Leiter des nächsten Waggons. Ich hielt das Brett fest und zog mich hoch genug, dass ich die Füße auf die unterste Sprosse stellen konnte.

Schramme hob den Daumen, als er das sah. Ich hatte bewiesen, dass ich kein totaler Trottel war.

Jetzt waren wir auf dem Zug. Fuhren mit. Schramme schrie mir zu, in einer Viertelmeile oder so würden wir zum Rangierbahnhof kommen. Dort könnten wir abspringen und zum Supermarkt gehen.

Ich war total aufgedreht. Ich konnte es nicht fassen, dass ich wirklich auf einem Zug mitfuhr. Ich stellte mir vor, wie ich das meinen Freunden erzählen würde, sogar Jennifer. Ich hängte mein Skateboard an die Leitersprossen und lehnte mich so weit raus wie möglich. Genau wie Schramme. Der war ein echter Hobo. Das alles war so was von geil. Ich überlegte, ob wir auch in die andere Richtung fahren könnten. Vielleicht konnte man durch die ganze Stadt rauschen.

Leider fing der Zug nach ein paar Minuten an zu bremsen. Schramme schrie, wir sollten abspringen, der Bahnhof komme gleich.

Es tat mir leid, dass meine kleine Fahrt schon zu Ende war. Aber ich hatte es getan. Ich war auf einen Zug gesprungen. Ich ließ mich so weit wie möglich raushängen.

Dann winkte Schramme mir wie verrückt zu. Ich verstand nicht, was er sagte. Gleichzeitig schob er sich die Leiter hoch und versuchte, sich dahinter zu klemmen. Als wollte er sich verstecken. Ich wusste nicht, was das sollte.

Dann sah ich das Auto.

Vor uns am Bahndamm stand das Auto eines privaten Sicherheitsdienstes, und zwar so, dass die Scheinwerfer den Güterzug anstrahlten. Neben dem Auto stand ein Mann in Uniform. Er trug schwarze Handschuhe und hielt einen schwarzen Schlagstock in der Hand.

Der Wachmann entdeckte uns sofort. Das war meine Schuld. Ich hatte mich nicht versteckt, ich hing einfach da. Ich wusste es nicht besser.

Er rannte auf uns zu. Er war dick, nicht so richtig fett, aber in seiner Uniform sah er aus, als würde er watscheln. Schramme kletterte die Leiter weiter hoch. Kann sein, dass er mir etwas zugerufen hat, aber ich habe es nicht gehört. Ich verstand sowieso nichts. Als der Wachmann uns erreichte, dachte ich, er würde uns anbrüllen oder verlangen, dass wir absteigen. Ich dachte, wir springen ab und gehen weiter. Was sollte er uns schon tun? Uns ausschimpfen? Die Eltern anrufen? Er konnte uns gar nichts.

Ich irrte mich. Der Wachmann ging auf mich los. Ich war ziemlich weit oben, so dass er nur meine Knie erreichen konnte. Trotzdem hob er seinen Schlagstock und schlug so gewaltig zu, dass er mir jeden Knochen in den Beinen zerschmettert hätte, wenn er mich erwischt hätte. Aber mit Glück und guten Reflexen schaffte ich es, die Beine hochzureißen, und er verfehlte mich. Ich versuchte, höher zu klettern, um ihm zu entkommen. Dabei fiel beinahe mein Skateboard runter, ich klemmte es mit der Brust fest. Gott sei Dank rollte der Zug noch. Der Wachmann musste nebenherlaufen, um an uns dranzubleiben. Er holte noch einmal aus und donnerte so gewaltig gegen die Metallleiter, dass ich von der Erschütterung beinahe abgeschüttelt worden wäre. Ich rutschte eine Sprosse runter, wäre fast gefallen. Er holte noch einmal aus. Jetzt war ich fällig. Ich war nicht mehr hoch genug, um dem Schlagstock ausweichen zu können. Und ich verlor den Halt.

Ich sprang. Ich hatte keine Wahl. Ich warf mich so weit nach vorne wie möglich. Ich schlug hart auf und rollte über den Schotter. Eine Sekunde später sprang auch Schramme. Der Wachmann muss gestolpert oder gefallen sein, denn als ich hochkam, waren Schramme und er am Boden.

Ich rappelte mich auf. Ich raste zu meinem Skateboard. Ich wollte es mir schnappen und dann rennen wie der Teufel. Dieser Wachmann musste vollkommen den Verstand verloren haben.

Als ich das Brett griff, sah ich, dass der Wachmann Schramme eingeholt hatte und ihm mit dem Schlagstock auf den Rücken schlug. Schramme brach zusammen, als wäre er von einer Kugel getroffen. Ich dachte, er wäre tot, das schwöre ich bei Gott. War das brutal. Wie kam so ein Möchtegern-Polizist dazu, so was zu tun? Weil einer auf den Zug gesprungen ist? Das konnte doch nicht wahr sein.

Schramme wollte davonkriechen. Der Wachmann stand schnaufend über ihm. Der Mann war dick und nicht in Form, aber mit dem Schlagstock konnte er umgehen. Er holte noch einmal aus, um auf Schramme einzuprügeln.

Das konnte ich nicht zulassen. Ohne weiter nachzudenken, rannte ich auf den Wachmann zu und rammte ihm die Spitze meines Skateboards in die Rippen.

Das spürte er kaum. Er war gut gepolstert. Auf alle Fälle drehte er sich um und schlug mit seinem Stock nach mir. Diesmal verfehlte er nur knapp meinen Kopf. Als der Stock über mir durch die Luft zischte, spürte ich, wie schwer er war. Das Ding war offenbar mit Blei oder Metall gefüllt.

Schramme war inzwischen hochgekommen und rannte auf den Zug zu. Der Wachmann kriegte Schramme ganz kurz am Hemd zu fassen und holte wieder mit dem Schlagstock aus. Ich hatte solche Angst, dass ich überhaupt nicht mehr durchblickte. Ehrlich, ich dachte, der Mann bringt uns beide um.

Deshalb ging ich noch mal auf ihn los. Ich habe das Skateboard hochgerissen und es ihm auf den fleischigen Hinterkopf gedonnert. Diesmal legte ich mein ganzes Gewicht hinter den Schlag, und ich spürte, wie mein Brett auf seinen Schädel knallte. Und er spürte es auch. Einen Moment erstarrte er, dann strauchelte er und fiel mit dem Gesicht nach vorn auf den Schotter neben dem Zug.

Schramme und ich rannten ein paar Schritte weg und guckten, ob er aufstehen würde. Er versuchte es – er hob den Kopf und tastete nach seinem Stock. Als er ihn hatte, rappelte er sich mühsam hoch.

Dann geschah etwas Seltsames. Es war dunkel und man konnte es nicht gut erkennen, aber es sah so aus, als würde seine Jacke von dem unteren Teil eines der vorbeirollenden Waggons erfasst. Das führte dazu, dass der Mann irgendwie angehoben und zur Seite gedreht wurde. Schramme und ich waren immer noch auf dem Rückzug, konnten aber die bizarre Szene vor unseren Augen genau sehen. Der Wachmann wurde vom Zug mitgezogen. Wir sahen, wie der Mann hinter sich griff und sich zu befreien versuchte, aber gleichzeitig wie eine Krabbe seitwärts lief und Mühe hatte, die Füße am Boden zu halten.

Dann wurde er herumgerissen und in einer eigenartigen Haltung unter den Zug gezerrt. Wir konnten sehen, wie er in Panik geriet und sich loszureißen versuchte. Aber es gelang ihm nicht. Der Zug hatte ihn und der Zug war stärker.

Er wurde zusammengeklappt. So, als würde man eine Stoffpuppe zusammenklappen und in einen schmalen Behälter schieben. Er wurde aufgerollt und irgendwie … zerquetscht … und zu einem Ball gepresst.

Es muss ihm das Rückgrat gebrochen haben. Oder den Hals. Wahrscheinlich ist er schon da gestorben. Als der Zug ihn schließlich freigab – ihm dabei den Kragen von der Jacke riss –, blieb der Mann quer über einer der Schienen liegen. Ein bis zwei Sekunden lag er unbeweglich dort. Dann rollten die nächsten Stahlräder heran. Die zertrennten ihn in zwei Teile. Wir sahen, wie es geschah, kaum zehn Meter von uns entfernt. Die Räder schnitten durch seine Brust, so dass seine Beine und sein Unterleib außerhalb der Schienen lagen, Kopf und Arme blieben dazwischen liegen.

Er hatte nicht geschrien. Außer dem metallischen Stöhnen des Zuges war kein Laut zu hören gewesen. Ich blieb stehen, wo ich stand. Ich konnte meinen Augen nicht glauben. Der Zug fuhr weiter, während ich dastand und zitterte, vom Adrenalin, vom Schock. Ich konnte nicht glauben, was ich sah: einen Mann, der in der Mitte durchgeschnitten war. Einen Mann, der in zwei Teilen auf dem Schotter lag. Ich konnte es einfach nicht glauben. Es war nicht möglich.

Schramme machte einen Satz, sprintete das Gleisbett hinunter, sprang über den Graben und krabbelte den Erdwall hoch. Noch nie habe ich jemanden sich so schnell bewegen sehen. Wie eine Ratte krallte er sich die Böschung hoch und verschwand im Gestrüpp.

Ich rannte nicht. Ich blieb stehen. Ich sah mein Skateboard ein Stück weiter weg auf dem Boden und hob es auf. Ich starrte auf den dunklen Fleck, wo der Wachmann lag. Ich machte ein paar Schritte auf ihn zu. Ich hatte das Gefühl, ich müsste etwas tun, ich müsste helfen. Ein fürchterlich bedrohliches Gefühl durchfuhr mich.

Der letzte Waggon ratterte vorbei. Kein Dienstwagen, nur ein letzter Güterwagen. Ich ging hinter ihm her, bis zu der Stelle, wo die Leiche lag. Ich konnte es nicht glauben. Direkt vor mir lag ein Mensch, der in zwei Teile zerteilt war. Ein menschlicher Körper, der noch vor dreißig Sekunden am Leben gewesen war.

Überall war Blut. Auf den silbernen Schienen. Auf dem Schotter unter meinen Füßen. Ich starrte auf die zerfetzte Wunde, aus der sich seine Eingeweide auf den Schotter ergossen. Sie dampften in der kühlen Nachtluft.

Und dann der Geruch. Als mich der Geruch der Eingeweide erreichte, fing ich an zu würgen. Ich musste fast kotzen. Ich wich zurück, ging rückwärts, konnte mich aber noch nicht so recht von dem Anblick lösen.

Ich stolperte über etwas und fiel. Damit war der Bann

gebrochen. Ich blickte mich um. Wo war ich? Was war eben geschehen? Plötzlich schien die Luft um mich herum vor negativer Energie zu knistern. Ein Strom von Angst kroch in mein Hirn und schien dessen Schaltkreise zu lähmen. Ich hatte das Gefühl, außerhalb meines Körpers zu sein, als gehörte mir mein Körper nicht mehr. Als hätte sich jedes Molekül dieser Erde gegen mich verschworen.

Meine Lungen funktionierten nicht. Ich konnte nicht atmen. Ich senkte den Kopf und versuchte, Luft zu bekommen. Ich musste die Polizei rufen. Das war das Wichtigste. Ich musste jemanden anrufen. Sollte ich um Hilfe schreien? Aber ich bekam keine Luft. Und wenn Schramme mich hörte?

Ich machte ein paar Schritte und kam zum Auto des Wachmanns. Es stand immer noch am Gleisbett. Die Fahrertür war offen und die Innenbeleuchtung war an. Auf dem Armaturenbrett lag die Zeitschrift *Waffen und Munition*.

Da muss ein Funkgerät drin sein, dachte ich. Ich würde die Polizei rufen. Ich würde erklären, was geschehen war. Es hatte einen fürchterlichen Unfall gegeben. Sie mussten sofort kommen. Ich blickte mich im Auto nach dem Funkgerät um, anfassen wollte ich lieber nichts.

Nein, ich durfte nichts anfassen. Davor sollte ich mich hüten. Nur für den Fall, dass …, für den Fall, dass …, ja, was denn?

Ich trat zurück. Ich musste nachdenken. Wenn man mir nun die Schuld gab? Es war ein Unfall, aber wenn die Polizei das nicht so sah? Und wenn es nun gar kein Unfall war? Ich hatte den Wachmann mit dem Skateboard geschlagen. War das verboten? Vielleicht war es Notwehr. Ich wusste es nicht. Ich musste nachdenken. Ich musste genau rekonstruieren, was geschehen war. *Wir waren auf dem Zug … Der Wachmann hat uns gesehen …*

Es hatte keinen Sinn. Mein Hirn funktionierte nicht. Ich konnte nicht einen einzigen klaren Gedanken fassen. Wieder durchfuhr mich eine Welle von Furcht. Mein ganzer Körper bebte wie wild. Auf meinen Wangen kitzelte es. Ich berührte mein Gesicht. Mir liefen die Tränen herunter.

Ich ging vom Auto weg. Ich musste irgendwohin, wo ich mich für einen Moment beruhigen und die Fassung wiedergewinnen konnte. Ich ging in die eine Richtung, dann in die andere. Mein Kopf war ein einziges Chaos, mein Körper in totaler Panik. Hinter den Schienen lag ein großer Parkplatz. Ich ging darauf zu. Erst ging ich, dann lief ich schneller, dann fing ich an zu rennen …

SEASIDE, OREGON

4. JANUAR MORGENS

Liebe …!

Tja, so war das. Nicht zu rennen war am schwierigsten. Immer wieder lief ich los und musste mich bremsen. Außerdem habe ich hyperventiliert. Ich versuchte, mich daran zu erinnern, wie man das stoppt. Man muss in eine Tüte atmen oder so was.

Schließlich rannte ich Richtung Fluss. Ich hatte den Parkplatz schon zur Hälfte überquert, da fiel mir ein, dass ich ja mein Skateboard dabeihatte. Ich sprang drauf und fiel sofort hin. Dabei habe ich mir ziemlich übel den Arm aufgeschürft, aber ich blieb nicht stehen, um es mir anzusehen. Ich sprang aufs Brett und fuhr weiter.

Auf der anderen Seite des Parkplatzes fand ich eine Zufahrtsstraße, die parallel zum Fluss verlief. Von dort sah ich die Uferpromenade, den langen Fahrradweg neben dem Fluss. Den bin ich schon oft gefahren. Aber da waren vielleicht Leute, also bin ich da nicht hin.

Ich blieb auf der Zufahrtsstraße. Mein Hirn war immer noch ein einziges Chaos, aber mein Körper hatte ein klares Ziel: so weit weg von den Gleisen wie möglich. Das hieß, ich musste nach links, nach Süden, am Fluss entlang.

Gott sei Dank hatte ich mein Skateboard.

Ich fuhr so schnell über den Asphalt, wie ich konnte. Die Straße war leer. Die Parkplätze waren leer. Ich sah mehrere Stellen, wo ich hätte anhalten und mich sammeln können. Aber ich hielt nicht an. Ich floh. Ich war losgerast und konnte nicht mehr anhalten.

Das Gute war: Ich kam schnell voran. Die Straße führte von Parkplatz zu Parkplatz, auf keinem stand ein Auto. Ich brachte eine gute Entfernung zwischen mich und den Bahnhof. Und niemand hatte mich gesehen.

Da tauchte plötzlich wie aus dem Nichts hinter mir ein Auto auf. Ich hatte keine Zeit, mich zu verstecken. Schon raste es an mir vorbei. Es war eine Art Sportwagen, Musik dröhnte, der Wagen fuhr viel zu schnell – Leute, die Party machten, keine Frage. Klar, es war Samstag.

Ich skatete weiter. Nach einer halben Meile oder so kam ich zur Hawthorne-Brücke. Irgendwo musste ich den Fluss überqueren, um zu meinem Auto zu kommen.

Die Hawthorne-Brücke hatte eine breite Spur für Fahrräder und Fußgänger. Wahrscheinlich war das die beste Stelle. Hier gingen jedenfalls die meisten rüber, die zu Fuß waren. Ich nahm mein Skateboard und rannte die Treppe hinauf.

Da war nur ein Problem: Es waren wirklich Leute auf der Hawthorne-Brücke. Und Autos. Und Lichter. Darauf war ich irgendwie nicht eingestellt und ich bin die Treppe fast wieder runtergerannt. Aber nein, ich musste weiter. Ich musste auf die andere Seite. Ich musste so aussehen, als gehörte ich dazu.

Ich betrat den Fußgängerweg und stieß fast mit einem alten Mann auf einem Fahrrad zusammen. Er musste ausweichen, um mich nicht anzufahren. Ich sprang zurück, murmelte eine Entschuldigung, vermied, ihm in die Augen zu sehen.

Etwas vorsichtiger ging ich weiter. Überall waren Lichter und zum ersten Mal konnte ich mich sehen. Nicht zu fassen, wie dreckig ich war. Meine Hände und Arme waren schwarz von Ruß. Mein T-Shirt hatte lauter dicke Dreckstreifen. Das war vom Zug. Der Getreidewaggon war von einer öligen, schwarzen Staubschicht überzogen gewesen.

Ich betrachtete mich genauer. An meinem Ellbogen war Blut von dem Sturz auf dem Parkplatz. Meine Schuhe und mein Hintern waren voller Ruß und Dreck und vermutlich auch voller Blut.

Ich ignorierte das einfach und versuchte, mich ganz natürlich vorwärtszubewegen. Links überholte mich ein Fahrrad. Rechts leuchteten der Fluss und das Zentrum von Portland. Das war so schön, dass mir die Brust weh tat.

Weiter. Immer wieder überfielen mich Panikattacken. Ich wollte rennen. Ich wollte nichts weiter als rennen. Aber das ging nicht. Ich musste cool bleiben. Ich musste mich ganz normal verhalten.

Zwei Frauen kamen auf mich zu. Ich atmete tief durch und bemühte mich, ganz ruhig zu sein. Ich ging zu schnell, das könnte Verdacht erregen. Also ging ich langsamer. Aus irgendeinem Grund hatte ich Angst davor, mein Skateboard zu benutzen. Normalerweise wäre ich über die Hawthorne-Brücke geskatet. Jetzt dachte ich, ich würde mehr auffallen, wenn ich es täte.

Die beiden Frauen kamen näher. Sie trugen kurze Röcke, sexy Tops. Wahrscheinlich kamen sie aus einer der Discos auf der Westseite. Natürlich, es war ja Samstag. Überall im Zentrum waren Leute unterwegs. Vielleicht war das gut so.

Aber je näher die beiden kamen, desto verdächtiger kam ich mir vor. Ich dachte, mein Kopf würde explodieren. *Geh einfach weiter*, sagte ich mir. Ich zwang mich, zum Wasser zu gucken, zur Stadt hinüber. Ich hielt die Luft an und ging ... und ging ...

Sie liefen an mir vorbei. Ich atmete aus. Hinter mir verwehten ihre Stimmen: »... und da kommt dieser Typ und der gibt mir einen aus ...«

Ich dachte über die beiden Frauen nach. Frauen Mitte zwanzig. Wenn ich das nun verpasste? Wenn ich die Sache mit dem Wachmann in die Schuhe geschoben bekam und ins Gefängnis musste und nie mit solchen Frauen abhängen könnte? Wenn ich nun die Jahre, in denen ich selbst in den Zwanzigern sein würde, verpasste? Wenn ich zehn Jahre ins Gefängnis musste? Oder zwanzig? Oder dreißig?

Aber es war ein Unfall gewesen. Ganz bestimmt. Es war nicht meine Schuld.

Oder vielleicht doch? Hatte ich ihn umgebracht? Hatte letztlich ich ihn umgebracht?

Und wer urteilt über so was? Und wie läuft das ab? Polizisten und Anwälte treffen sich in Hinterzimmern und machen irgendwelche Deals, jedenfalls im Fernsehen. Sie überlegen, wie lange einer »wegmuss«, und dann gehen sie zum Mittagessen.

Wieder kam ein Fahrrad. Ich versuchte, einen tiefen Atemzug zu nehmen. Aber ich fand keinen Halt in meiner Brust, alles war kaputt und lose. Wenn mich die Polizei fand ... wenn mich jemand etwas fragte ... ich würde zusammenbrechen. Ich würde mich auflösen. Ich wäre nicht in der Lage zu lügen. Ich würde überhaupt nichts tun können. Ich musste zu meinem Auto.

Später konnte ich dann mit jemandem reden. Später konnte ich jemanden anrufen und überlegen, was zu tun war. Aber genau das war das Problem. Wen hätte ich denn anrufen können? Meine Mutter würde das überhaupt nicht verkraften. Sie würde völlig ausflippen. Genau wie mein Dad. Vor allem jetzt. Beide würde das fertigmachen. Es würde alles kaputt machen.

»Nein, Herr Wachtmeister, es ist so, wie ich es Ihnen gesagt habe, wir sind nur ganz kurz aufgesprungen, bloß um es mal auszuprobieren, und dann hat uns dieser Wachmann angegriffen, vollkommen aus dem Nichts. Er wollte uns umbringen, ich schwöre, das wollte er ...«

Und was würde mit dem College werden? Ich musste noch so viel dafür machen. Mich auf die Aufnahmeprüfungen vorbereiten. Und die Aufsätze fürs College schreiben. Mein Vater wollte, dass ich nach Gonzaga gehe, wo er gewesen war. Aber meine Eignungstests waren so gut ausgefallen, dass meine Mutter meinte, ich sollte es in Berkely probieren oder so was in der Art, irgendwo in Kalifornien.

»Nein, Herr Wachtmeister, ich habe es Ihnen doch schon gesagt, ich kannte den anderen Jungen nicht. Ich hatte ihn fünf Minuten vorher getroffen. Warum brauchen Sie denn eine Beschreibung von ihm? Der hat doch gar nichts gemacht. Der Wachmann, der hat was gemacht. Er hat uns angegriffen. Suchen Sie nach seinem Schlagstock, dann können Sie es ja selber sehen. Da war Blei drin. Oder so was. Ich schwöre, so war es ...«

Ich hatte Scheiße gebaut. Das war die blanke Wahrheit. Ich hatte mir mein ganzes Leben versaut. Mit einer falschen Bewegung hatte ich mir jede Möglichkeit verbaut, ein normales Leben zu führen. All die Zeit und die Mühe, die Menschen auf mich verwandt haben. Meine Lehrer, meine Eltern, die Frau, die mir Schwimmen beigebracht hat. Was immer ich war, was immer ich hätte sein können, ich hatte es verspielt.

In einem Moment, in einem Wimpernschlag hatte ich alles verloren, das ich angestrebt hatte, alles, das ich je hätte sein können.

»Ich bin doch bloß ein Junge, verdammt noch mal! Ich hatte eine Scheißangst! Was hätten Sie denn getan? Woher sollte ich denn wissen, was mit dem war? Er hatte einen Schlagstock mit Blei drin. Er wollte uns umbringen! Warum kapieren Sie das denn nicht?«

Wieder fuhr ein Fahrrad an mir vorbei. Ich hielt den Kopf gesenkt. Ich muss so was von schuldig ausgesehen haben. Links fuhren Autos an mir vorbei. Einige hatten ihre Anlagen voll aufgedreht. Samstagnacht. Party-Zeit. Wo sollte ich hin? Was sollte ich tun?

Ich blickte wieder auf meine Hände, schnell, heimlich. Sie waren dreckig, zerkratzt, einer meiner Finger blutete. Ich blicke mein schmuddeliges Hemd an. Da war Blut dran, ein paar Tropfen unten beim Gürtel. *Wessen Blut ist das?*

Dann guckte ich mein Skateboard an. Auch das war dreckig. Ich untersuchte die Vorderseite. Da war ein kleiner Riss. War der da nicht schon vorher gewesen? War das nicht irgendwann früher im Sommer passiert?

Dann sah ich das Blut. Oder irgendwas anderes. An der Spitze, an der Stelle, mit der ich den Wachmann getroffen hatte, war ein winziger schwarzer Fleck …

Ich warf es über das Geländer. Ich warf mein Skateboard von der Brücke. Das war keine Entscheidung von mir, das ist einfach passiert. Ich warf mein Skateboard von der Brücke, als wäre es eine heiße Kartoffel, die mir die Hände verbrannte. Ich sah nicht, wie es aufs Wasser traf. Ich guckte nicht hinterher. Ich stopfte meine dreckigen Hände in die Taschen und tat so, als hätte ich nie ein Skateboard gehabt.

Noch im selben Moment bereute ich es. Hatte mich jemand beobachtet? Jemand auf der Uferpromenade? Jemand in einem Auto? Und dachte vielleicht, es wäre etwas anderes gewesen? Ein hinabstürzender Mensch? Ein Baby? Eine Mordwaffe?

Warum hast du das getan?, fauchte ich mich selber durch meine zusammengebissenen Zähne an.

Aber es war zu spät. Und dass das Brett weg war, hatte etwas Positives. Es machte aus mir einen anderen. Ich war kein Skater mehr. Jetzt war ich bloß noch irgendein dreckiger Jugendlicher, der über eine Brücke ging.

Ich kam zum Auto meiner Mutter. Es stand auf der Straße, vor einem PJ Schmidt's Fisch-Restaurant. Auf dem Bürgersteig davor drängten sich Leute in Schlips und Kragen. Die digitale Uhr einer Bank zeigte 23:37.

Ich klickte auf die Fernbedienung und öffnete das Auto. Ich stieg ein und ließ den Motor an. Moment mal. Ich musste innehalten.

Jetzt war der Moment, in dem ich nachdenken, überlegen konnte, was ich tun sollte. Die Polizei anrufen. Zu Hause anrufen. Irgendjemanden anrufen. Ich dachte an mein Skateboard. Wie sollte ich der Polizei erklären, dass ich es in den Fluss geworfen hatte?

Aber egal. Ich musste es jemandem erzählen. Ich sollte 911 anrufen. Wenn ich das nicht tat, würde ich nur noch mehr Ärger kriegen. Das war uns doch immer eingebläut worden: Sagt die Wahrheit, sonst wird alles nur noch schlimmer.

Aber stimmte das wirklich? Wenn man gar nicht schuld war? Und wenn es etwas war, das man nicht mehr rückgängig machen konnte? In dem Fall war es völlig egal, ob ich es jemandem sagte oder nicht. Dem Wachmann nützte es überhaupt nichts, wenn ich es jemandem sagte. Aber was würde ich damit meiner Familie antun? Oder meinem Bruder Henry?

Dann sah ich, einen winzigen Moment lang, den Wachmann vor mir. Ich sah ihn wie eine Krabbe seitwärtsrennen.

Ich schob das Bild aus meinem Kopf. Ich musste klar denken. Was würde mein Dad tun? Was würde eine normale Familie tun? Wir könnten uns einen Anwalt besorgen. Meine Eltern hatten schon Anwälte für ihre Trennung. Vielleicht war das der Weg: erst zum Anwalt, dann zur Polizei. So machen es Sportler. Und andere Prominente. Und dann geht es auch meistens gut aus, oder?

Aber meinen Körper berührten alle diese Überlegungen nicht. Mein Hirn hätte die ganz Nacht lang debattieren können. Meinem Körper war das egal. Mein Körper wollte nur eins: weg hier, so schnell es ging.

Ich legte den Vorwärtsgang ein. Ich fuhr los und rammte fast einen Geländewagen, der angehalten hatte, um ein paar Leute aussteigen zu lassen. Es fehlten Zentimeter. Eine Frau in einem weit ausgeschnittenen Kleid starrte mich an, als wollte sie sagen: *Bist du noch ganz dicht?* Ich sagte nichts. Ich fuhr langsam rückwärts und schaffte es dann, mich an dem Geländewagen vorbeizuschieben. Würde sich die Frau daran erinnern, mich gesehen zu haben? Würden die Leute auf der Brücke sich an mich erinnern? Würde die Polizei Nachforschungen anstellen?

Ich fuhr bis an die Ampel. Ich sah das Plakat vor mir, ein Phantombild von meinem Gesicht:

GESUCHT:
JUGENDLICHER SKATEBOARDFAHRER,
SCHWARZE HAARE, BLAUE AUGEN,
VÖLLIG VERDRECKT VOM AUFSPRINGEN
AUF EINEN ZUG.
ZULETZT GESEHEN AUF DER
HAWTHORNE-BRÜCKE SAMSTAGNACHT

Sie hätten mich sofort gekriegt. Die Leute hätten sich an mich erinnert. Oder? Als die Ampel umsprang, nahm ich den Fuß vom Gas. Ich machte die Heizung an. Ich fror, mein ganzer Körper zitterte. Ich drehte das Gebläse auf die höchste Stufe.

Ich stellte das Radio an. Tippte auf den Sender KEX 1190, *Nachrichten rund um die Uhr*. Sobald sie die Leiche gefunden hatten, würden sie davon berichten. Auf allen Sendern. Aber ich konnte jetzt keine Nachrichten hören. Ich schaltete aus. Dann wieder ein, diesmal KRCK FM. Der DJ laberte was von »Samstagnacht in der Party-Stadt!« Ich drehte das Radio aus und suchte nach einer CD. Ich wollte was Leises, Sanftes, etwas, das mich beruhigte. Ich fand eine Dave-Matthew-CD von meiner Mutter. Ich steckte sie rein, aber noch bevor sie lief, knallte ich sie wieder raus.

Auf der Schnellstraße drehte ich richtig durch. Mein Hirn, meine Gedanken – in mir wirbelte alles wie wild herum. Zum ersten Mal in meinem Leben verstand ich, wie extremer Stress dein Hirn auf unmögliche Dinge bringen kann. Stress verformt dein Denken, führt dich auf gefährliche Wege, die dir im Augenblick aber vollkommen sinnvoll erscheinen.

So kommt es, dass Leute sich umbringen, dachte ich. *Bei denen hat sich das Hirn verdreht.*

Ich musste mich beruhigen. Ich probierte es noch einmal mit dem Radio und schaltete KKNR ein, den Indie-Rock-Sender. Da kam Reklame: *»Ich habe gerade bei der Autover-*

sicherung einen Haufen Geld gespart ...« Ich schaltete aus. Ich blickte auf meine Hände, die das Lenkrad umklammerten. Ich dachte, ich sähe Blut daran.

Das war zu viel. Es reichte jetzt. Das alles konnte einfach nicht wahr sein: Ich verlor den Verstand, fuhr wie ein Irrer, wühlte mich mit Blut an den Händen durch den Verkehr.

Aber so war es. Das war das Ding. Genauso war es.

Ich fuhr in Jareds Einfahrt. Es war niemand da, genau wie ich es erhofft und erwartet hatte. Ich schaltete die Scheinwerfer aus, würgte den Motor ab und betete, dass die Nachbarn sich nicht über das fremde Auto auf dem Grundstück der Fitches wundern würden. Ich stieg aus und ging zur Haustür. Sie war nicht verschlossen. Ich ging rein und riegelte hinter mir zu.

Als Erstes musste ich mich saubermachen. Ich knipste das Licht an und blickte auf meine Schuhe runter. An einer Spitze war Blut. Oder nein, es war Öl ... oder ... egal. Ich zerrte mir die Schuhe von den Füßen. Ich zog meine weißen Socken aus, die um die Knöchel schwarze Schmutzringe hatten. Barfuß und auf Zehenspitzen ging ich in die Küche, wo ich unter der Spüle eine Plastiktüte fand. In die stopfte ich meine Strümpfe und meine Schuhe.

Dann, immer noch in der Küche, pellte ich mich aus meinem T-Shirt und verstaute es auch in der Plastiktüte.

Dann sah ich das Fenster über der Spüle. Es ging zur Straße. Die Leute auf der anderen Straßenseite hätten mich sehen können. Ich duckte mich und schlich in den Flur, wo ich außer Sicht war, und zog mich weiter aus. Ich hatte keinen richtigen Plan, also packte ich all meine Sachen in die Plastiktüte.

Ich ging ins erste Badezimmer, das ich fand. Das war wahrscheinlich nicht so besonders schlau, denn es war das Bad von Jareds Mutter. Aber es war zu spät, ich war schon drin und es war schon dreckig. Ich musste hinterher sowieso saubermachen.

Ich stellte mich in die Dusche und drehte das Wasser auf. Von meiner Haut spritzte schwarzes Rußwasser in die Gegend. Noch während ich duschte, wischte ich Duschvorhang und Wand ab.

Sobald alles sauber war, schloss ich die Augen und ließ mir das heiße Wasser auf Nacken und Rücken prasseln. Ich versuchte zu entspannen, damit wenigstens das Zittern aufhörte. Aber es war hoffnungslos. Es ging nicht. Meine Unterlippe bebte unkontrollierbar.

Dann fing ich an zu weinen. Es kam ganz plötzlich und dann konnte ich es nicht mehr aufhalten. Tränen und Schluchzer brachen aus mir heraus. Ich weinte und stöhnte, bis ich mich nicht mehr auf den Beinen halten konnte. Ich musste mich in die Wanne setzen. Das heiße Wasser lief mir über den Kopf.

Nachdem ich lange geweint hatte, fing ich an zu reden. Ich weiß nicht, mit wem ich redete, vielleicht mit Gott. Ich sagte immer wieder, dass es mir leid tue. Dass ich das nicht gewollt hatte. Ich fragte, warum das habe geschehen müssen. Womit ich das verdient hätte. Ich war kein gewalttätiger

Mensch. Ich habe mich nie geprügelt. Das war ungerecht. Es war so was von *ungerecht*.

Nach ein paar Minuten dachte ich, ich hätte im Haus was gehört. Ich stand auf. Ich drehte das Wasser ab. Ich lauschte. Aber nein, da war nichts. Der Boiler war angegangen. Es war niemand da. Ich kannte nur das Haus nicht.

Ich trat aus der Dusche und schlang mir ein Handtuch um die Hüften. Unter dem Waschbecken fand ich einen Schwamm und überprüfte jeden Zentimeter der Wanne nach Ruß oder Blut oder irgendeiner Spur meiner Anwesenheit, die ich beseitigen konnte. Dann nahm ich die Mülltüte mit meinen Sachen und ging runter.

In Jareds Zimmer ging's mir besser. Dort meinte ich, Jared und seine Waghalsigkeit zu spüren. Den verrückten, abgedrehten Jared, der andauernd irgendwelche illegalen Sachen machte. Dafür war er berühmt. Zum ersten Mal kam mir der Gedanke: Vielleicht werde ich nicht geschnappt.

Ich sagte mir schnell, dass es gar nicht darum ging, nicht geschnappt zu werden, schließlich hatte ich gar nichts getan. Jedenfalls nichts, was ein anderer in meiner Lage nicht auch getan hätte. *Es war ein Unfall*, machte ich mir noch einmal klar. Wirklich. Niemand hatte Schuld. Es war einfach so geschehen.

Ich ging zu Jareds Kommode und zog die oberste Schublade auf. Ich brauchte saubere Sachen. Ich wühlte durch Jareds Zeug. Er war größer als ich. Er hatte Hosengröße dreißig. Ich fand ein paar Boxershorts. Ich hielt sie hoch, guckte sie an.

Ob ich es Jared erzähle?

Nein.

Könnte sein.

Vielleicht.

Das würde ich später entscheiden. Ich schlüpfte in die Shorts. Sie saßen locker, aber okay. Ich ging zur Kommode zurück und fand Baggy-Hosen und zog die an. Dazu noch einen großen Rampage Hoody und dicke, weiße Socken. Ich stellte Jareds Boombox an und wählte KEX. Der Wettermann sagte, es würde später regnen. Das ist gut, dachte ich, Regen verwischt Spuren. Fußabdrücke und Blutspuren. Regen macht alles neu.

Dann sah ich es wieder, so deutlich, als wäre es die Wiederholung eines Videos, sah, wie der Wachmann unter den Zug gezogen wurde. Sah, wie er zusammenklappte wie eine Stoffpuppe. Dann das andere Bild: die Leiche, verstümmelt, zerstückelt, die eine Hälfte auf dieser Seite der Schiene, die zweite auf der anderen. Ich saß auf Jareds Bett und brach in Tränen aus, schluckte und schluchzte und stöhnte wieder. Ich weinte eine Weile, dann hörte es auf. Ich hatte keine Tränen mehr. Ich hatte mich ausgeweint. Es war einfach nichts mehr da.

Ich schlief auf Jareds Bett ein, voll angezogen. Ich träumte, ich wäre auf einem Polizeirevier, säße auf einem Stuhl, in einem Korridor. Aber es war eigentlich kein Polizeirevier, eher so was wie ein Krankenhaus. Es liefen sogar Krankenschwestern vorbei. Während ich dort saß, überlegte ich, ob ich bleiben oder gehen sollte; ich könnte immer noch weg, denn ich hatte meinen Namen noch nicht angegeben. Dann wurde eine Frau hereingeführt. Sie trug Handschellen und guckte total erschrocken. Sie brachten sie in den Keller, wo operiert wurde, wo was aus einem rausgeschnitten werden sollte, auch wenn man das gar nicht wollte …

Mit einem Ruck wachte ich auf. Meine Stirn war schweißnass. Draußen war es noch dunkel. Auf die Bäume vor Jareds Fenster fiel sanfter Regen.

Jared. Was war mit ihm? Der verstieß ständig gegen das Gesetz. Und dachte sich gar nichts dabei. Skater-Kodex. Skater-Regel. Bullen sind das Letzte. Einem Bullen sagt man nichts. Einem Bullen hilft man nicht, in keiner Weise.

Ich legte mich wieder hin und blinzelte zur Zimmerdecke hoch. Mir war angenehm warm, in Jareds Zimmer fühlte ich mich sicher. Mir gefiel das Rauschen des Regens. Das erinnerte mich an früher, als ich ein kleiner Junge war und am Fenster saß, an all die Träume, die man hat, wenn man jung ist und auf die Zukunft hofft …

Ich stecke voll in der Scheiße.

Ich setzte mich auf und blickte mich im Zimmer um. *Ich stecke so was von voll in der Scheiße.* Was sollte ich tun?

Keine Zeit mehr verschwenden. Ich musste mit jemandem reden. Ich musste was tun und diese Last loswerden. Mein Vater. Mit dem konnte ich reden. Ich wusste, wo er war – bei meinem Onkel Tommy. Ich machte das Licht an und fand Jareds Telefon. Schon der Gedanke, alles zu erzählen, brachte Erleichterung …

Ich wählte die Nummer meines Onkels. Aber dann fielen

mir die letzten vier Ziffern nicht ein. Ich versuchte es noch einmal. Wieder nichts. Ich wählte die Auskunft. Die automatisierte Stimme gab mir die Nummer meines Onkels. Für fünfzig Cents hätten sie mich gleich verbunden, aber es war Jareds Telefon, also legte ich auf und wählte noch einmal. Ich wartete. Mein Herz fing an zu wummern. Die Verbindung kam zustande. Es klingelte einmal ... zweimal.

Ich legte auf.

Das war bescheuert. Was sollte denn das? Ich musste doch meinen Dad anrufen. Ich wählte wieder, und wieder legte ich auf.

Nein. *Zieh deine Familie da nicht rein. Die haben damit nichts zu tun. Die sind unschuldig.* Ich sollte gleich die Polizei anrufen.

So ein Quatsch. Ich würde niemals selber die Polizei anrufen. Wieder fing ich an zu weinen. Das kam von dem Regen. Von dem traurigen, einsamen, fernen Rauschen des Regens. Ich schaltete das Licht aus und ging zum Bett zurück und legte mich hin, mit dem Telefon im Arm. *O Gott, hilf mir, bitte,* flüsterte ich und schaukelte langsam hin und her. *Bitte, lieber Gott, bitte hilf mir.*

Ich schlief unruhig, nickte ein, wachte auf. Um sieben Uhr war ich endgültig wach und bereit zu gehen. Aber so früh wollte ich zu Hause nicht auftauchen. Das wäre verdächtig gewesen. Ich musste noch bleiben. Ich wollte fernsehen, aber es war Sonntagmorgen, da gab es nur religiöse oder Dauerwerbesendungen. Schließlich fand ich ein paar von Jareds Skate-Videos und legte die ein. Ich guckte aber nicht hin. Ich konnte mich auf nichts konzentrieren.

Um halb neun machte ich mich dann auf den Weg nach Hause. Ich verstaute die Mülltüte mit meinen dreckigen Sachen im Auto meiner Mutter und startete. Ich wusste, dass es bei uns in der Nähe Müllcontainer gab, hinter Marios Pizzeria. Ich fuhr auf den Parkplatz hinter dem Gebäude. Es war Sonntagmorgen, die Pizzeria war geschlossen, also war niemand da. Lässig hob ich die Mülltüte aus dem Auto und warf sie in einen Container. Dann fuhr ich nach Hause.

Meine Mutter und mein Bruder waren schon auf. Ich hörte den Fernseher im Wohnzimmer. Ich betete, dass meine Mutter nicht in der Küche sein möge. Sie war es nicht. Ich ging durch die Küche und sprang die Treppe rauf.

Meine Mutter hörte mich. Sie rief mir hinterher und wollte wissen, was ich schon so früh zu Hause machte.

»Wir sind nicht zur Messe gegangen«, rief ich zurück. »Jared ist krank.«

»Was hat er denn?«

»Weiß ich nicht«, rief ich und ging weiter nach oben. Ich lief durch den Flur in mein Zimmer und schloss die Tür hinter mir. Ich riss mir Jareds Klamotten runter und zog eigene an. Die andere Jeans und ein paar alte Adidas-Schuhe, die ich im Schrank fand. Dazu mein grünes OREGON-T-Shirt.

Es war ein gutes Gefühl, zu Hause, in meinem eigenen Zimmer zu sein, in den eigenen Sachen zu stecken. Eine Erleichterung. Jedenfalls so was in der Art.

»Schatz!«, rief meine Mutter. Ihre Schritte kamen durch

den Flur auf mein Zimmer zu. Die Tür schlug auf. »Schatz?«, sagte sie, musterte mich, musterte mein Gesicht.

»Was?«, sagte ich und setzte mich schnell auf mein Bett.

»Onkel Tommy hat vorhin angerufen. Er hat gesagt, sein Telefon hat einen Anruf registriert.«

»Ach ja?«, sagte ich.

»Da stand der Name Fitch. Er fragte mich, ob ich jemanden kenne, der so heißt. Und ich habe ihm gesagt, das sind die Leute, bei denen du übernachtest.«

»Oh«, sagte ich.

»Hast du bei Onkel Tommy angerufen?«

»Oh ... äh ...« Ich überlegte einen Moment. »Kann schon sein, aus Versehen.«

»Er sagte, es war um vier Uhr dreißig heute Morgen.«

»Hä?«, sagte ich. »Das ist komisch.«

»Warst du da noch auf?«

»Nein«, sagte ich und dachte fieberhaft nach. »Aber weißt du was? Um die Zeit ist Jared zum ersten Mal aufgewacht. Weil er krank war. Und da ... ich glaube, ich wollte Ryan anrufen und fragen, ob der mitgehen wollte ... aber dann ... ich muss im Halbschlaf gewesen sein oder so ...« Ich versuchte zu lächeln. »Vielleicht war ich am Schlafwandeln.«

»Was habt ihr denn letzte Nacht gemacht?«

»Nichts. Wir haben uns auf die Messe vorbereitet. Ich wollte mir die neuen Snowboards angucken.«

Im Flur klingelte das Telefon.

»Henry, gehst du mal ran, bitte?«, rief meine Mom meinem kleinen Bruder zu.

Ich guckte meine Mutter an.

»Wolltest du Dad anrufen?«, fragte sie ernsthaft. »Sei ehrlich.«

»Nein, ich habe nur … ich muss die Nummer aus Versehen gewählt haben …«

»Wolltest du mit ihm reden? Über unsere Trennung?«

»Nein«, sagte ich. »Ich habe nur … ich habe das nicht gewollt … ich meine, Onkel Tommy anrufen.«

»Du kannst mit ihm reden, das weißt du doch. Jederzeit. Wir alle müssen offen füreinander sein.«

»Ich weiß.«

»Ich sollte selber mal anrufen«, sagte meine Mutter und wirkte auf einmal beunruhigt. »Ich muss mit Tante Renee reden …«

»Mom! Das ist für dich!«, rief Henry von unten. Meine Mutter ging aus dem Zimmer.

Ich blieb auf dem Bett sitzen und zitterte.

Ich legte mich hin. Aber ich konnte nicht still liegen. Henry hatte unten den Fernseher auf voller Lautstärke laufen. Der Lärm, der zu mir hochdrang, war unerträglich. Ich war kurz vor dem Durchdrehen. Ich konnte nicht in meinem Zimmer bleiben.

Ich beschloss, ins Einkaufszentrum zu gehen. Ich sagte meiner Mom, dass ich mir Snowboards angucken wollte, da ich ja nicht zur Wintersportmesse konnte.

Sie war einverstanden, aber sie brauchte ihr Auto, so dass ich laufen musste. Was in Ordnung war.

»Wo ist dein Skateboard?«, fragte sie, als ich aus der Tür wollte.

»Hab ich bei Jared gelassen«, sagte ich und ging.

Doch das war keine gute Entschuldigung, wurde mir klar, als ich die Auffahrt runterging. Alle wussten, dass ich immer mein Skateboard bei mir hatte.

Ich machte mich auf den Weg zum Woodridge Einkaufszentrum. Es war weit bis dahin – eigentlich zu weit. Ich hätte in die andere Richtung zum Bus gehen sollen.

Aber ich lief weiter. Die grauen Wolken hingen tief am Himmel. Regentropfen fielen. Ich wünschte, ich hätte ein Radio. Ich wollte Nachrichten hören.

Im Einkaufszentrum ging ich sofort zum Zeitschriftenladen. Da gab's auch Tageszeitungen. Für fünfzig Cent kaufte ich *The Oregonian* und ging damit zu BurgerKing. Ich setzte mich und blätterte die Seiten durch. Im Hauptteil stand nichts über den Wachmann und im Lokalteil war auch nichts.

Vielleicht dachten sie, es wäre ein Unfall gewesen. Vielleicht dachten sie, der Wachmann hätte Mist gebaut. Oder er wäre betrunken gewesen. Oder nur zu dicht an den Zug gekommen. Arbeitsunfälle gibt es.

Plötzlich dachte ich an Schramme. Die ganze Nacht hatte ich nicht an ihn gedacht. Schramme. Was für ein Mensch hat so einen Namen – *Schramme*?

Jedenfalls war er schlau. Er war inzwischen wahrscheinlich schon halb in Phoenix. Wahrscheinlich schon tausend Meilen weit weg. Typen wie der wissen, was zu tun ist. Die stellen sich nicht, die verschwinden. In San Diego hat er einen Bullen verdroschen. Und? Was hat er dann gemacht? Panik geschoben? Die Polizei angerufen? Ist er heulend zu seiner Mutter gelaufen? Nein, er ist weg aus der Stadt, hat sich dünnegemacht. Genau so lief das in *Der Pate*. Als Al Pacino den Typen gekillt hatte, haben sie ihn einfach nach Italien zum Chillen geschickt. Panik schieben geht nicht. Einfach den Kopf einziehen und cool bleiben und nicht auffallen.

»Hey«, sagte jemand. Ich blickte auf. Es war Macy McLaughlin aus unserer Straße.

»Oh, hey«, erwiderte ich. Macy war ein Jahr jünger als ich, im zehnten Jahrgang. Sie war mit einer Freundin aus ihrer Klasse unterwegs.

»Was machst du so früh hier?«, fragte sie.

»Nichts.«

»Was liest du da?«

»Die Zeitung.«

Sie warf mir einen schrägen Blick zu. Sie fand es merkwürdig, dass ich um zehn Uhr früh im BurgerKing des Einkaufszentrums saß und Zeitung las. Das war es ja auch.

»Ich checke die Sportseiten«, sagte ich. »Und außerdem muss ich was für meine Mutter besorgen.«

Macy betrachtete mich mit ihren großen, braunen Augen. Als ich in der sechsten Klasse war, war sie in mich verknallt. Sie ist mir immer hinterhergelaufen, hat mir kleine Briefchen in den Schulschrank gesteckt. In letzter Zeit hatte ich sie nicht mehr oft gesehen. Sie war inzwischen eine coole Zehntklässlerin. Ihre Freundin war Rachel Simmons, auch so eine Coole aus der Zehnten.

»Okay«, sagte Macy. »Wir müssen.«

»Klar«, sagte ich.

Die beiden gingen.

Macy drehte sich kurz zu mir um. Aber sie guckte nicht kicherig oder verknallt, das war eher so ein Abchecken. Das brachte mich total von der Rolle. Ich wollte nicht, dass mich jemand so anblickte. Damals nicht.

Auf dem Weg vom Einkaufszentrum nach Hause dachte ich über meine Eltern nach. Ich konnte nicht zur Polizei, weil meine Eltern das nicht verkraftet hätten. Die kamen ja so schon kaum klar. Jetzt noch so was und sie würden vollkommen den Boden unter den Füßen verlieren.

Vor allem meine Mutter. Die war nicht sehr stabil. Und mein Dad würde völlig durchdrehen. Sie würden sich gegenseitig Vorwürfe machen. Sie würden ausrasten und nicht mehr miteinander reden und sich noch schneller scheiden lassen. Ihre Anwälte würden das als Munition für ihre Angriffe benutzen. Meine Mutter würde eine plausible Erklärung dafür finden müssen, wieso ich Samstagnacht alleine durch die Gegend gestromert bin. Es würde sie umbringen, wenn sie das Sorgerecht für uns verlöre. Sie hat immer gesagt, das Sorgerecht für Henry und mich würde sie niemals aufgeben. Niemals. Dafür würde sie *alles* tun. Ohne Rücksicht auf Verluste.

Und mein Vater. Das würde gar nicht gut für ihn aussehen. Verlässt seine Frau, seine Kinder, und dann passiert so was. Auf der Arbeit würde man ihn für einen schrecklichen Menschen halten. Vielleicht würde er rausfliegen. Die ganze Familie würde schlecht aussehen. Es wäre ein vollkommenes Desaster, in jeder Hinsicht.

Aus dem Grund entschied ich mich, nichts zu tun. Das war jetzt der Plan. Ich würde nicht mal darüber nachdenken. Ein oder zwei Tage würde ich überhaupt nichts tun. Dann hätte sich der Staub gelegt. Und mein Kopf wäre wieder klar.

Das war ein guter Plan. Er beruhigte mich. Das allein schon war ein gutes Zeichen. Ich sagte mir immer wieder: *Einfach ein oder zwei Tage lang chillen. Bis sich der Staub gelegt hat.*

Aber als ich in die Küche kam, war's vorbei mit der Ruhe. Am Kühlschrank hing ein Zettel: »Jared anrufen.«

Ich verzog mich in mein Zimmer. Ich rief Jared nicht an. Ich ging ins Internet und durchsuchte die Nachrichtenseite eines lokalen Fernsehsenders. Kein Wort über einen toten Wachmann. Ich versuchte die Website der Lokalzeitung. Fehlanzeige. Ich googelte verschiedene Kombinationen von »Mord«, »Leiche«, »Tod« und »Wachmann« mit »Portland, Oregon«. Nichts. Ich löschte alle *History*-Daten und loggte mich aus.

Dann rief ich Jared an.

»Alter, was' los«, sagte er. »Wo warste?«

»Nirgends«, sagte ich. »Im Einkaufszentrum.«

»Eh, Alter, rate mal, was letzte Nacht gelaufen ist!«

»Was denn?«, fragte ich.

»Ich habe voll die Nummer geschoben!«

»Schön«, sagte ich. Ich saß auf meinem Bett. »So hast du's ja auch geplant.«

»Aber es war nicht, wie ich es geplant habe«, schwärmte Jared. »Weil ich beinahe auch noch das Mädchen aus ihrem Zimmer flach gelegt habe.«

»Echt?«

»Alter, da gibt's vielleicht eine Menge scharfe Bräute! Du hast ja keine Ahnung! Und die Leute haben rumgemacht ohne Ende! Ich hatte drei verschiedene Mädchen am Wickel! Niemand hat das gekümmert. Niemand hat das überhaupt gemerkt! Ich sag dir, Mann, College ist voll geil.«

»Boah«, sagte ich.

»Also, ich sag dir. Wir haben also gefeiert und alles, und wir gehen zurück in Kellys Zimmer, 'ne ganze Gruppe … und Kellys Mitbewohnerin fängt an zu tanzen und legt so'n kleinen Strip hin. Und dann, als die anderen Mädchen gerade nicht gucken, lässt sie's blitzen. Ich schwöre dir, das läuft da wie bei *Girls Gone Wild*. Die machen weiter nichts als Party und strippen.«

»Boah«, sagte ich noch mal.

»Kelly, die vom Café, die war … also, ich weiß nicht … irgendwie war die Scheiße drauf. Die hat echt einen an der Waffel. Aber egal. Das Ding ist: Ich hatte die Wahl. Also, die blonde Tussi, die war total scharf auf mich, also, praktisch von dem Moment an, wo ich da aufgelaufen bin …«

Ich versuchte, seiner Geschichte zu folgen. Ich versuchte,

mich daran zu erfreuen. Ich musste an was anderes denken. Ich musste raus aus meinem Kopf.

»... echt, ich sag dir«, sagte Jared. »College ist mein Ding, absolut, das kannst du mir glauben. Wir waren bei so einer Studentinnen-Verbindung. Die hatten alle Fernseher mit Flachbildschirmen, über die ganze Wand. Und überall liefen Partys. Und da war so ein Pfahl, an dem man hinten in den Hof runterrutschen konnte – echt, wie bei so einer Scheißfeuerwache!«

Er redete an einem Stück. Es klang gut, aber ganz weit weg. Unerreichbar für mich.

»Und du – was hast du gemacht?«, fragte er schließlich. »Bist du zum Paranoid Park?«

»Nein, ich ... ich hab ... na, abgehangen.«

»Hast du Jennifer angerufen?«

»Nö, bloß abgehangen.«

»Alter, jetzt mal im Ernst, wenn du mit mir da unten gewesen wärst, du hättest jede von denen kriegen können. Weil, die sind so, na, wie die aus dem zehnten Jahrgang, niemand interessiert sich für die. Ich meine, die echt scharfen, die werden schon angebaggert. Aber die anderen. Da gibt's so viele reife Tussis, die warten bloß drauf, dass sie jemand pflückt.«

»Cool«, sagte ich. »Hört sich echt easy an.«

»Junge, das ist total easy«, sagte Jared. »Sag mal, hast du eigentlich hier geschlafen letzte Nacht?«

»Ja.«

»Oje. Denn auf dem Teppich von meiner Mom ist ein fetter schwarzer Fußabdruck. Gleich am Eingang.«

»Oh«, sagte ich. Ich stand auf. »Der muss von mir sein. Ich glaube, ich bin irgendwo reingetreten.«

»Meine Mom flippt aus.«

»Kannst du das nicht saubermachen?«

»Alter, was bin ich? Dein Kindermädchen? Das machst du sauber!«

»Nein. Klar, mache ich. Auf jeden Fall. Ich meine ...«

»Nee, ich mach doch bloß Quatsch. Unsere Putze macht das. Aber sag mal, hast du mein Rampage-T-Shirt? Ich finde es nicht.«

»Ja, hab ich mir ausgeborgt.«

»Warum denn das?«

»Meins – meins ist nass geworden.«

»Jetzt sag doch mal, was hast du denn letzte Nacht gemacht? Bloß alleine rumgezogen?«

»Ja, so in der Art, ich meine ... Hör mal, ich kann jetzt nicht so lange reden. Aber ich bring dir dein T-Shirt morgen mit in die Schule.«

»Alter, ich steh nicht auf Sachen Verborgen. Ich will auch nicht, dass jemand bei mir rumkramt. Du hast nicht mal *gefragt*.«

»Nein, ich weiß, ich hätte ja gefragt, bloß ...«

»Hast du dir sonst noch was geborgt?«

»Äh ... bloß Schuhe.«

»Schuhe? Was für Schuhe?«

»Die alten Etnies.«

»Alter, was war denn los mit dir? Du hast dir meine *Schuhe* geborgt? Hast du dir auch Unterwäsche geborgt?«

»Nein«, log ich. »Ich bin bloß ... bloß ein bisschen nass

geworden. Und ich bin in was reingetreten. Und das wollte ich nicht im ganzen Haus verteilen.«

»Gib mir einfach mein Zeug wieder. Bring's mir morgen mit in die Schule. Und was ist nun mit Jennifer?«

»Nichts. Keine Ahnung.«

»Na, wenn da nichts läuft, dann solltest du auf alle Fälle Oregon State checken. Im Ernst. Ich brauch einen Wingman. Ich werde meine Zeit nicht mehr mit irgendwelchen blöden Schulmädchen vergeuden, jedenfalls nicht, wenn's anders geht.«

»Klar, genau, klingt cool«, sagte ich und versuchte, ganz der Alte zu sein. »Voll cool.«

Ich ging um halb elf schlafen, was für mich früh war. Ich machte das Licht aus und legte mich ins Bett.

Ich schlief nicht ein. Ich lag im Dunkeln und starrte auf den Fußboden. Ich war müde, so müde wie noch nie. Aber schlafen war unmöglich. Also stand ich auf und zog meinen Stuhl vors Fenster, setzte mich drauf und schaute in die Bäume in unserem Garten. Ich kramte mein altes kleines Radio raus und stellte KEX ein. Jetzt musste was über den Wachmann kommen. Es war vierundzwanzig Stunden her.

Aber es kam nichts. Die Portland Trail Blazers hatten einen neuen Trainer, das war die wichtigste Meldung. Die Sprecher taten so, als wäre es das größte Ereignis aller Zeiten. Nicht zu fassen, wie lange sie darüber redeten. Die Trail Blazers hatten einen neuen Trainer. Na toll.

Ich stellte alle möglichen Sender ein. Ich hörte Musik. Ich hörte Talkshows. Ich starrte in die Bäume.

Dann wurde ich wütend. Wütend darüber, dass immer die Rede davon war, dass man Jugendlichen helfen müsste. Andauernd gab es irgendein neues Programm, einen neuen Plan für Jugendliche. Im Fernsehen wurde dafür geworben, im Radio auch. Es gab Hotlines und so was alles. Aber nützte das was? Nicht die Bohne. Ich hier, ich hatte ein Problem, ein ernstes Problem, aber gab es irgendeine Stelle, an die *ich* mich hätte wenden können? Wen kann man anrufen, wenn was *richtig* schiefgelaufen ist? Vielleicht diese Dumpfbacken von der Schülerberatung? Bei einem richtigen Problem, da ist Sense, da gibt es niemand, mit dem man reden kann. Das ist so was von typisch. Und so unfair. Warum gibt es keine Nummer, bei der man anonym anrufen und mit jemandem reden kann, der wirklich was weiß, der einen wirklich beraten und einem sagen kann, was für Möglichkeiten es gibt?

Zum ersten Mal in meinem Leben brauchte ich echt Hilfe, und wo konnte ich hin? Nirgends. Nichts gab es. Und das machte mich echt fertig.

Irgendwann schlief ich auf dem Stuhl ein. Ich hatte immer noch die Kopfhörer vom Radio auf und muss irgendwas über einen Mord gehört haben. Ich wachte sofort auf und stellte das Radio lauter. Aber es war kein Lokalsender. Sondern die ABC-Nachrichten aus dem ganzen Land. Es war die Rede von einem siebzehnjährigen Jungen, der seinen Nachbarn erschossen hatte. Der Junge war zum Tode verurteilt worden und saß jetzt in der Todeszelle. Seine Anwälte hatten an den Obersten Gerichtshof von Texas appelliert; sie wollten erreichen, dass die Strafe in lebenslange Haft umgewandelt werden sollte. Der Sprecher sagte, es könnte zehn Jahre dauern, bis eine Entscheidung fällt.

Darüber dachte ich nach. Zehn Jahre. Todeszelle. Lebenslange Haft. Ich zog die Kopfhörer runter und ließ sie auf den Boden fallen. Was sollte ich machen?

Was soll ich machen?

SEASIDE, OREGON

5. JANUAR 8 UHR 30

Liebe ...!

Das also war der erste Tag.

Am nächsten Tag ging ich in die Schule. Ich bewegte mich wie ein Zombie. Ich taumelte in den Bus, taumelte zu meinem Schrank. Ich stand so unter Schock, dass ich kaum wusste, wer ich war.

In Mathe hatte ich die Hausaufgaben nicht. Ich hatte sie nicht gemacht, sie nicht mal angeguckt. Mr. Minter war ziemlich sauer. Ich hatte in Mathe immer eine Eins.

Beim Mittagessen saß ich mit meinen Freunden Parker und James zusammen. Sie redeten über einen japanischen Horrorfilm, den sie gesehen hatten. Ich sagte nichts. Während ich aß, stiegen mir plötzlich Tränen in die Augen. Der Gemüse-Burger in meinem Mund verwandelte sich zu Brei. Ich war so traurig, so erschöpft. Alles war wie ein schrecklicher Traum, aus dem ich aufwachen wollte. Aber ich wachte nicht auf.

Parker und James verzogen sich und ich aß alleine. Ich blickte am Tisch entlang und sah Macy McLaughlin. Sie war mit anderen aus dem zehnten Jahrgang zusammen. Sie kamen mir so jung vor, wie sie dasaßen und über was weiß ich plapperten. Macy wandte den Kopf in meine Richtung und ich blickte schnell auf mein Essen runter. Aber ich dachte über sie nach: Ich erinnerte mich daran, wie ich in der Sechsten war und sie mir nachlief. Damals war sie total aus sich herausgegangen. Sie fuhr mir mit dem Fahrrad hinterher, ging mir auf die Nerven, stellte mir endlos Fragen. Das tat sie nicht mehr. Sie blieb bei ihren coolen Freundinnen. Das beschäftigte mich, na, sagen wir zwanzig Sekunden lang, und dafür war ich echt dankbar. Denn das waren zwanzig Sekunden, in denen ich nicht den Wachmann auf den Gleisen liegen sah.

Nach der fünften Stunde ging ich an Jennifers Schrank vorbei. Sie hatte an dem Tag die erste Mittagspause gehabt, deshalb hatte ich sie noch nicht gesehen. Sie telefonierte und schob dabei andauernd ihre Haare zurück. Als sie fertig war, guckte sie mich nicht an. Sie bückte sich, um etwas von unten aus dem Schrank zu holen. »Na, war's gut mit Jared am Samstag?«, fragte sie.

Ich schob die Hände in die Hosentaschen. »Geht so.«

»Was habt ihr denn gemacht?«, fragte sie.

»Nichts. Bloß … abgehangen.«

»Du hättest mit uns kommen sollen. Wir waren bei Elizabeth schwimmen.«

Ich nickte.

»Aber wahrscheinlich interessiert dich das nicht so richtig«, sagte sie. »Wahrscheinlich ist Skaten mit Jared besser.«

»Ich hatte ihm schon zugesagt.«

Das war das Blöde bei Jennifer. Die konnte einem echt

zusetzen. Aber sie kriegte sich meist sofort wieder ein und dann war sie total nett.

»Was machst du nach der Schule?«, fragte sie.

»Nichts.«

»Dann können wir ja was zusammen machen, wenn du magst.«

»Gut«, sagte ich.

Nach Schulschluss holte ich meine Bücher und ging hinter die Cafeteria, wo ich Jennifer treffen wollte. Jared war mit Christan Barlow und Paul Auster auf dem Parkplatz skaten. Außer Jared und mir waren die beiden die einzigen ernsthaften Skater unserer Schule. Sie übten Kick-Flips, Ollies. Ich schaute eine Minute lang zu.

»Wo ist dein Brett?«, fragte Jared und kam zu mir rüber.

»Zu Hause.«

»Warum denn das?«

»Weiß auch nich«, sagte ich.

»Was machste denn jetzt?«

»Mit Jennifer abhängen.«

Hinter mir landete Paul Auster einen Kick-Flip. Christian probierte es auch, konnte aber nicht landen. Jared pushte über den Parkplatz und wollte auch einen machen, fiel aber auf den Arsch.

Jennifer und ich gingen zu ihr nach Hause. Niemand war da, also gingen wir hoch in ihr Zimmer. Sie schien wegen irgendwas richtig aufgeregt zu sein, und als wir in ihrem Zimmer waren, machte sie die Tür zu und sprang auf ihr Bett.

»Jetzt rate mal, was Petra gemacht hat«, sagte sie und hüpfte auf dem Bett herum. Petra war eine ihrer Freundinnen.

»Was denn?«

»Sie hat's gemacht! Mit Mike Paley! Die haben es gemacht, dreimal oder so, am Wochenende.«

»Boah«, sagte ich. Petra und Mike Paley waren erst seit ein paar Wochen zusammen.

»Findest du, das war zu früh?«, fragte sie, immer noch hüpfend.

»Keine Ahnung«, sagte ich. Ich setzte mich auf ihren Stuhl und guckte auf die Sachen auf ihrem Schreibtisch.

»Ich glaube schon«, platzte Jennifer heraus. »Doch, irgendwie schon. Aber vielleicht auch nicht. Noch weiß niemand was davon. Sie hat es noch nicht vielen gesagt. Aber trotzdem. Kannst du dir das vorstellen? Petra und Mike? Und Maddy, die hat's schon letzten Sommer gemacht. Echt mal, ich habe das Gefühl, bei meinen Freundinnen geht's gerade total ab.«

Jennifer sprang vom Bett und ging zu ihrem Schrank. Sie stellte sich vor den großen Spiegel, der innen in der Schranktür war, und bürstete sich die Haare. Sie hatte schöne lange, blonde Haare.

Ich schaute ihr zu. Ich atmete leise seufzend aus. Ich

spürte den Schmerz in der Brust. Der war immer da. Egal, was sonst geschah.

»Und jetzt fragen alle *mich*«, sagte Jennifer ernst.

»Ach ja?«

»Sie wollen wissen, wann ich es mache. Und ob ich es mit dir machen will.«

Ich schluckte. »Und was sagst du dann?«

»Ich sage, ich weiß es nicht. Ich weiß ja noch nicht mal, ob du mit mir gehen willst.« Sie hielt ihre Haare fest und bürstete sie. »Ich meine, wenn du lieber skaten gehst, statt mit mir zusammen zu sein ...«

»Ich hab dir doch gesagt ...«, sagte ich, aber mir war plötzlich schwindelig. In meinem Kopf schwamm es. Mir wurde die Luft knapp in diesem vollgestopften Zimmer mit der gekräuselten Steppdecke, den Stofftieren. Es war zu heiß hier drinnen. Als würde die Heizung auf höchster Stufe stehen.

Jennifer ging zum Bett zurück und setzte sich. »Möchtest du nicht auf dem Bett sitzen?«, fragte sie mit einem fetten Grinsen im Gesicht. »Das ist bequemer.«

Ich stand auf und hockte mich aufs Bett. Sie hatte recht, das war bequemer. Sie grinste und rutschte näher ran. Sie küsste mich auf die Lippen. Aber sobald ihre Hände meinen Nacken berührten, hörte sie auf. »Du bist ganz heiß«, sagte sie. »Ist alles in Ordnung?«

»Glaub schon.«

»Du bist doch nicht krank, oder?«, fragte Jennifer. »Ich habe Cheerleader-Prüfungen, ich darf nicht krank werden.«

»Mir geht's gut«, sagte ich. Aber ich fühlte mich schwach.

Ich wollte mich hinlegen. Ich rutschte weiter aufs Bett rauf und streckte mich aus.

Jennifer betrachtete nachdenklich meinen Körper. »Ich meine, ich glaube, die Entscheidung, wer der Erste sein soll, die hat was mit Vertrauen zu tun.« Sie hopste auf dem Bett herum. »Und wenn man weiß, dass der dann nicht rumläuft und angibt, als wäre das alles ein Wettkampf ...«

Der ganze Raum drehte sich im Kreis. Ich dachte, ich müsste mich übergeben. Abrupt setzte ich mich auf.

»Alles klar?«, fragte Jennifer erschrocken.

»Tut mir leid. Mir ist irgendwie schwindelig.«

Sie legte ihre Hand auf meine Stirn. »Du fühlst dich echt heiß an. Vielleicht hast du Fieber.«

»Nein. Ich habe bloß nicht geschlafen. Ich bin furchtbar müde.«

»Komm, leg dich wieder hin«, sagte sie. Sie guckte echt besorgt. Sie legte sich neben mich. Sie rückte an mich heran und streichelte mein Haar und meine Stirn. Das fühlte sich schön an. Ich schloss die Augen.

Eine lange Zeit lagen wir so da. Was immer geschehen war, hörte auf und es ging mir besser. Dann küsste sie meine Wange, meine Schläfe und meinen Kopf. Dann stand sie auf und dimmte das Licht runter.

Sie legte sich neben mich. Sie fuhr mir mit den Händen über die Brust und knöpfte mein Hemd auf. Sie krabbelte auf mich rauf und wir fingen an zu fummeln. Es wurde ziemlich heftig, aber dann klinkte ich mich wieder aus. Ich kam mir so verletzlich, so ausgeliefert vor, als würde jemand nach mir suchen, mir jemand auf der Spur sein.

Ich setzte mich auf.

»Was?«, fragte sie. »Was ist denn los?«

»Nichts, nur ich … ich muss gehen.«

Sie verlor die Geduld. »Willst du nicht mein Erster sein?«, fragte sie.

»Nein … ich … ich weiß nicht …«

Sie stand auf. Sie kroch vom Bett runter, rannte in ihr Badezimmer und knallte die Tür hinter sich zu. Ich hörte Wasser laufen.

Ich blieb einen Augenblick auf dem Bett sitzen. Aber dann wollte ich nicht länger in dem Haus bleiben. Ich konnte das nicht. Nicht jetzt.

Ich fand meine Vans, die ich abgestreift hatte. Ich zog mein Hemd an und strich meine Hosen glatt. Ich blickte in den Spiegel. Ich sah fürchterlich aus. Ich sah total schuldig aus.

Ich ging an die Badezimmertür. »Jennifer?«, sagte ich und klopfte mit den Fingerknöcheln vorsichtig an die Tür.

»*Was*?!«, sagte sie. Sie klang sehr aufgebracht.

»Ich glaube, ich bin wirklich krank. Oder ich habe Fieber oder so was. Wir können später darüber reden. Ich bin heute einfach daneben.«

»Ich wünschte, ich könnte dir glauben.«

»Du musst mir glauben. Ich schwöre.«

»Warum kannst du nicht wenigstens mit mir reden? Gott, du bist mein allererster Freund!«

Ich konnte jetzt nicht streiten. »Tut mir leid«, sagte ich. »Ich muss gehen. Wir sehen uns morgen.«

Ich ging aus ihrem Zimmer und fand den Weg aus dem

Haus. Normalerweise skatete ich von ihr nach Hause. Aber ich hatte kein Skateboard, also lief ich.

Als ich zu Hause war, überlegte ich, ob ich beichten könnte. Ich hatte das noch nie getan, aber ich hatte es im Fernsehen gesehen. Außerdem war mein Vater Katholik, dachte ich. Selbst wenn er nie in die Kirche ging oder so, würde ich trotzdem zur Beichte berechtigt sein.

Bei der Beichte ging es hauptsächlich darum, dass man dem Priester erzählt, was man Böses getan hat, und der darf das niemandem weitersagen. Er sieht das Gesicht nicht, also weiß er nicht, wer gebeichtet hat. Da kann einem überhaupt nichts passieren. Und hinterher sagt einem der Priester, was man machen muss, den Armen helfen oder was weiß ich, und dann wird einem vergeben und dann geht es einem besser.

Und außerdem wusste Gott dann, dass es einem echt leidtat, was auch gut wäre. Es gab nur ein Problem: Ich war mir nicht sicher, ob ich an Gott glaubte. Als ich im Badezimmer von Jareds Mutter unter der Dusche weinte, hatte ich das Gefühl gehabt, mit Gott zu reden. Aber wenn ich richtig darüber nachdachte, wusste ich nicht, was ich glaubte. Meine Eltern waren nicht religiös. Also, mein Dad hat zum Beispiel gesagt, er glaubt nicht an Gott, aber dann hat er rumgeblödelt und gesagt, ich soll ruhig glauben, denn wenn es Gott nicht gibt, dann kann man sowieso einpacken.

Also, ich wusste es nicht. Aber ich meinte, eine Beichte

wäre gut. Ich musste es jemandem erzählen. Bei der Beichte konnte ich das tun und trotzdem über weitere Möglichkeiten nachdenken. Vielleicht könnte ich auch mit dem Priester darüber reden. Vielleicht könnte ich ihn um Rat bitten.

Abends aß ich mit meinem kleinen Bruder Henry Abendbrot. Er las einen Comic-Roman aus der Bücherei und ich schaute ihm dabei zu. Mein Bruder kippte immer wieder Milch aufs Buch. So ist das eben. Immer machen Menschen was Böses. Sie versauen zum Beispiel Bücherei-Bücher, schummeln in der Schule, verhauen die doofen Kinder.

Ich versuchte zu essen. Seit Samstag hatte ich kaum etwas runtergebracht. Ständig dachte ich, ich müsste die Polizei anrufen. Ich träumte mit offenen Augen, wie ich auf ein Polizeirevier ging und mich stellte. Wie dramatisch das sein würde. Alle würden sagen, wie mutig ich bin und wie ehrlich. Und natürlich würden alle total nett zu mir sein, wie im Kino. Der freundliche alte Wachtmeister würde mir eine Cola holen und mir eine Anwältin zur Seite stellen und die würde sagen: »Es ist völlig normal, dass du dich gefürchtet hast, uns das zu erzählen. Das ist in solchen Fällen meistens so – die Leute kommen erst Tage später. Mach dir keine Sorgen, du hast alles richtig gemacht – es war ein Unfall. Der Wachmann hat dein Leben bedroht. Wir haben jede Menge Aussagen darüber, dass er schon öfter Skateboardfahrer wie dich angegriffen hat …«

Und gleichzeitig hatte ich einen anderen Traum, eigentlich einen Alptraum, in dem ich eingeschüchtert und herumgestoßen wurde, in dem mich Erwachsene böse anstarrten, wie das so ihre Art ist. Von Gesichtern, die gemein wurden, von Männern, die mich packten und in Handschellen legten und mir nicht die Wahrheit sagten. Und wie dann mein Fall von einem Politiker aufgegriffen wurde, der allen erzählte, Jugendliche seien abgrundtief böse, besonders die Skateboarder. Man muss ihnen Einhalt gebieten! An ihnen werden wir ein Exempel statuieren! So was geschieht wirklich. Ich habe es erlebt. Wie alle Skater.

Nach dem Essen ging ich in mein Zimmer und googelte »Beichte«. An erster Stelle kam ein Artikel über einen Priester in Minnesota, der einen Kinderschänder bei der Polizei angezeigt hat, nachdem der gebeichtet hatte. Es gab eine riesige Kontroverse. Alle möglichen Leute hatten Kommentare dazu geschrieben, ob der Priester es hätte sagen sollen oder nicht. Die meisten Leute waren der Meinung, dass sexuelle Gewalt gegen Kinder schlimmer ist als die Verletzung des Beichtgeheimnisses. Aber andere meinten, das, was ein Mensch beichtet, sogar Mord, darf niemals weitergesagt werden, auf keinen Fall. Denn, so glaubten sie, bei der Beichte redete man mit Gott. Der Priester ist nur sein Vertreter.

Es gab noch mehr Artikel über umstrittene Priester. In Massachusetts klagte eine ganze Stadt gegen einen Priester, bis seine Gemeinde schließlich bankrott war und das Kirchengebäude verkaufen musste. Dann fand ich eine Verschwörungstheorie, die besagte, dass der Papst alle Leute dazu bringen wollte, sich per Kreditkarte zu verschulden, damit er die Weltbank übernehmen kann. Je weiter ich klickte, umso schlimmer wurde es. Beichten war vielleicht doch keine so gute Idee.

Nach ein paar Minuten gab ich auf und legte mich auf

mein Bett. Dann klopfte meine Mom an die Tür und kam rein. Sie war völlig nervös, weil mein Dad gekommen war. Er war in der Garage und packte Sachen ein. Sie sagte, er wolle mit mir reden.

Ich fürchtete mich davor, mit meinem Dad zu reden. Ich wusste nicht, was ich sagen würde. Deshalb traf ich, bevor ich mein Zimmer verließ, eine Entscheidung: Da ich nicht sicher war, ob ich es ihm sagen sollte, würde ich es nicht tun. Und falls ich mich später dazu entscheiden sollte, es doch zu sagen, könnte ich es immer noch tun.

Auf keinen Fall durfte ich zusammenbrechen und flennen und alles ausplappern. Das wäre das Schlimmste, was passieren konnte, denn damit würde ich einen Feuersturm zwischen ihm und meiner Mutter entfachen. Und das wäre so brutal, dass ich lieber nicht dran denken wollte.

Ich ging runter. Auf dem Weg zur Küche nahm ich mir von Henrys Teller ein paar Mohrrübenstreifen.

In der Garage war es kalt. Ich setzte mich auf die Stufe und schaute zu, wie mein Vater im Schrank herumkramte. Als er sich aufrichtete, hielt er einen kleinen einflammigen Coleman-Kocher in der Hand. Das machte mich traurig. Als Henry und mein Dad und ich vor zwei Jahren Angeln gewesen waren, hatten wir diesen Kocher benutzt. Das war das Letzte gewesen, was wir gemeinsam unternommen hatten, bevor die Familie auseinanderbrach.

Der Anblick des Coleman-Kochers brachte mich auf

einen seltsamen Gedanken: *Könnte sein, ich brauche den.* Aber wofür? Zum Abhauen? Um nach Kanada zu trampen?

»Hallo«, sagte mein Dad, als er mich bemerkte.

»Hey«, antwortete ich.

Er sah, dass ich den Coleman-Kocher anguckte. »Den habe ich gesucht«, sagte er.

»Nimmst du ihn mit?«

»Ich will ihn nur ausleihen. Onkel Tommy und ich fahren am Wochenende an den See.«

Ich saß da und betrachtete meinen Dad im Neonlicht.

Er stellte den Kocher ab. Er wischte sich den Staub von den Händen. »Ich möchte mit dir reden«, sagte er. »Ich weiß nicht genau, was du gehört hast. Oder was deine Mutter dir so erzählt. Kann sein, ich komme nicht mehr hierher zurück.«

Ich habe jemanden umgebracht, Dad. Die Worte sprangen in meinem Kopf herum. Natürlich sprach ich sie nicht aus.

»Wir sind noch dabei, Dinge zu klären«, fuhr er fort, »und versuchen rauszufinden, wie wir alles organisieren. Und was für dich und für Henry am besten ist. Es ist nicht leicht, sich mit deiner Mutter zu arrangieren. Was du bestimmt weißt …«

Ich habe ihm mein Brett in die Brust gerammt. Und es ihm dann über den Schädel gezogen.

»Deshalb wollte ich mit dir reden und gucken, wie's dir geht«, sagte er ruhig. »Ich meine, ist ja klar, dass es schwer ist. Es ist ganz sicher nicht ideal.« Während mein Dad das sagte, fuhren seine Blicke im Schrank herum. Er suchte noch andere Sachen, die er am See brauchen könnte. »Also, gibt es etwas, das du mir sagen möchtest? Etwas, das wir bedenken sollten?«

Ich schaute ihm zu. Er räumte Farbdosen zur Seite. Er fand eine Taschenlampe.

»Ich weiß nicht«, sagte ich. »Eigentlich nicht.«

»Tja … kann ich schon verstehen. Die ganze Sache … ist so schwierig.« Er starrte auf den vorderen Teil der Taschenlampe und knipste den Schalter an. Die Lampe leuchtete. »Und – wie läuft's in der Schule? Wie ist der Unterricht?«

»Okay.«

»Wie geht's Parker und den anderen Jungs?«

»Gut.«

»Parkers Vater habe ich neulich im *Alles für draußen* gesehen.«

»Ach ja?«, sagte ich.

»Skatest du noch?«

»Manchmal.«

Er legte die Taschenlampe neben den Kocher. Dann wandte er sich wieder dem Schrank zu.

Dad, ich habe jemanden umgebracht. Er hat mich angegriffen, aber ich habe die Ruhe bewahrt, den richtigen Moment abgewartet und ihn dann alle gemacht. Könntest du so was, Dad? Wenn du müsstest?

Er wühlte sich durch Gartengeräte. Ich räusperte mich und stand auf. »Ich muss noch Hausaufgaben machen«, sagte ich.

Er blickte mich an. Zuckte hilflos die Achseln. »Mein Sohn, mir tut das alles fürchterlich leid, ehrlich. Ich habe nie gewollt, dass es dazu kommt.«

»Das Gefühl kenne ich«, erwiderte ich.

»Was ich dir nur sagen will, ist ... also, wenn es irgendwas gibt, das ich für dich tun kann ... wenn ich dir irgendwie helfen kann ...«

»Kannst du den Kocher wieder zurückbringen?«, fragte ich.

Er warf mir einen erstaunten Blick zu. »Wozu brauchst du denn den?«

»Weiß nicht. Zum Campen.«

»Klar. Klar, ich bring ihn zurück«, sagte er.

Aber ich glaubte nicht, dass er es tun würde.

Am nächsten Tag ging ich vor dem Unterricht in die Bücherei und schnappte mir die Zeitung. Ich verzog mich damit an einen der hinteren Tische, so dass die Bibliothekarin mich nicht sah. Ich blätterte sie langsam durch, überflog jede Seite. Ich checkte alles nach Unfällen oder Todesfällen ab. In Hillsboro war ein Latino von einem Auto überfahren worden. In Northeast war ein Haus abgebrannt. Der Bürgermeister einer kleinen Stadt hatte sich wegen irgendwas bestechen lassen. Und außerdem gab es jede Menge Artikel über den neuen Trainer der Trail Blazers.

Aber sonst nichts. Ich legte die Zeitung zusammen und brachte sie zurück, ohne dass die Bibliothekarin mich zu sehen bekam. Dann ging ich zum Unterricht.

Vor der Mittagspause spielten wir auf dem hinteren Parkplatz Football. Ich kam in Parkers Mannschaft und er warf mir zwei Touchdown-Pässe zu. Wir machten richtig Dampf. Zum ersten Mal seit zwei Tagen habe ich gelächelt.

In der Mittagspause hatte ich Hunger, auch das zum ersten Mal seit Samstagnacht. Ich aß alles auf und holte mir mehr, dann aß ich noch die Portionen von Parker und James. Ich erklärte ihnen, dass ich einen Magenvirus gehabt hätte und daher nicht hatte essen können. Sie sagten, ich hätte am Montag auch ein bisschen komisch ausgesehen.

Später kam Jennifer bei meinem Schrank vorbei, und ich freute mich echt, sie zu sehen. Sie war richtig verspielt und niedlich, und da habe ich ihr einfach so zum Spaß einen fetten Kuss gegeben, gleich dort im Flur – worauf sie sofort anfing zu kichern und zu hüpfen, wie sie das immer so macht.

Ich hatte das Gefühl, die Welt stimmt wieder. Jedenfalls hatte ich das bis zum Literatur-Test. Den hatte ich vollkommen vergessen. Ich meine, in Englisch war ich sowieso nicht so gut. Es ging um das Buch *Aufzeichnungen aus dem Untergrund*, das ich mir noch nicht mal gekauft hatte. Dumm gelaufen. Aber ich habe Mrs. Hall gesagt, ich sei das ganze Wochenende krank gewesen, und sie hat gesagt, ich könne die Arbeit nächste Woche nachschreiben. Mit SparkNotes aus dem Internet, dachte ich, könnte ich das hinkriegen.

Nach der Schule spielten Jared und ein paar Jungs auf den Stufen vom Parkplatz S-K-A-T-E. Ich setzte mich auf die Stufen und schaute zu.

»Alter, wo ist dein Brett?«, fragte Jared, als er mich sah.

»Zu Hause.«

»Warum bringst du es nicht mehr mit in die Schule?«

»In meinem Schrank ist nicht genug Platz«, sagte ich.

»Was soll denn der Scheiß?«, sagte er und schnaubte dabei, als wäre es das Blödeste, das er je gehört hatte.

»Ich weiß nicht ... hatte einfach keinen Bock.«

In dem Moment machte Christian Barlow einen Ollie die Treppe runter. Alle stoppten und schauten zu, wie er auf dem Parkplatz landete.

Jared sprang sofort auf sein Brett und probierte es auch. Er schaffte es nicht; er patzte und kriegte ein »K«.

Die anderen Jungs versuchten auch, die Treppe zu ollien. Paul Auster knallte auf den Arsch und auf die Hand. Er hatte richtig Schmerzen, rollte sich rum, das Handgelenk zwischen die Beine geklemmt.

Jared versuchte es noch einmal, bloß so, patzte wieder und lief den Sturz auf dem Parkplatz aus.

»Das ist öde«, sagte er und nahm sein Brett hoch. »Wir sollten zum Paranoid Park gehen.«

»Zum Paranoid Park?«, fragte Christian Barlow.

»Genau«, sagte Jared.

»Da isses doch eklig«, sagte Christian.

»Alter! Der Paranoid Park ist affengeil.«

»Klar, wenn du gerade aus dem Knast kommst oder so«, sagte jemand anders. »Da ist mal einer abgestochen worden.«

»Trotzdem isses da bombig«, sagte Jared. Er blickte mich an, damit ich das bestätigte.

Ich zuckte die Achseln. »Ich war erst einmal da.«

»Ja, aber du fandest es gut«, sagte Jared. »Wir können alle zusammen hin. Am Wochenende. Oder gleich jetzt.«

Christian wollte nicht. Paul hatte keine Meinung. Ich konnte nicht. »Ich bin mit Jennifer verabredet«, sagte ich.

»Echt?«, sagte Jared. »Haste schon was mit ihr gehabt?«

»Nicht richtig«, sagte ich.

Er lachte. »Was denn? Spielt sie das brave Mädchen?«

»Nö, sie ist nur … ach, du weißt schon.«

»Ich würd's machen«, sagte Paul Auster. »Bei dem Körper. Und du weißt, dass sie will.«

»Echt, diese Weiber«, sagte Christian. »Petra hat Mike Paley regelrecht überfallen.«

»So weit ist es noch nicht«, sagte ich, um nicht ganz blöd dazustehen.

Aber es interessierte sowieso keinen; alle wollten Christians nächsten Trick sehen.

Die folgenden Tage verliefen ähnlich. In der Schule gab es ein oder zwei Stunden, in denen ich ganz bei mir war. Ich spielte Basketball oder hing einfach rum oder so. Aber immer wieder – wenn ich an meinem Schrank war oder im Unterricht saß – musste ich ganz plötzlich an den Wachmann denken. Ich sah ihn vor mir, verstümmelt auf den Gleisen. Manchmal konnte ich entkommen und mich für ein paar Minuten aufs Klo verdrücken. Aber oft genug blieb ich dem Bild ausgeliefert.

Zu Hause war's genauso. Ich schlug die Zeit tot, sorgte dafür, dass ich beschäftigt war. Ich spielte ein paar Stunden am Computer, guckte fern, machte sogar Hausaufgaben.

Dann musste ich ins Bett. Das war das Schwierigste. Immerhin schlief ich inzwischen besser. Ich fing an, die Allergie-Tabletten zu nehmen, die Mom für mich besorgt hatte. Wenn ich ein paar auf einmal nahm, hauten die mich richtig um.

Donnerstagmorgen, auf dem Weg zur Schule, fiel mir plötzlich eine Kirche auf, in der Straße von meiner Schule. Früher waren in dem Gebäude Rasenmäher und Gartenzeugs verkauft worden. Ich dachte, das kann keine besonders tolle Gemeinde sein, wenn sie ihre Kirche in einem alten Rasenmäherladen aufmachen. Aber das brachte mich wieder auf die Idee mit der Kirche.

So fuhr ich am selben Tag nach der Schule mit dem Bus ins Zentrum zu der Kirche, wo wir Weihnachten mit der Familie waren. Es war seltsam, wieder im Zentrum zu sein. Seit Samstag war ich nicht mehr dort gewesen. Als ich aus dem Bus stieg, guckte ich mich nach allen Seiten um, als wäre ich auf der Flucht. Sobald ich ein Bullenauto sah, erstarrte mein ganzer Körper zu Eis.

Aber ich ging weiter und fand auch die Kirche. Es war ein großer Steinbau mit dicken Eichentüren. Die Grünfläche davor war perfekt gepflegt, es gab Blumen und grünen Rasen und an der Seite kleine Wege.

Ich stieg die blanken Stufen zum Eingang hoch. Ich zog die schwere Tür auf und sofort wurde mir unheimlich. Es war still in der Kirche, jeder Ton gedämpft, der rote Teppich unter meinen Füßen war weich. Zögernd machte ich ein paar Schritte.

Es schien niemand da zu sein. Was merkwürdig war. Es

war total leer. War das möglich? Müsste nicht jemand hier sein?

Ich dachte mir, dass es erlaubt sein müsse, sich hier aufzuhalten, denn die Tür war ja offen. Ich schlich weiter und blickte mich um. Niemand da.

Ich wollte nicht zu weit in die Kirche reingehen. Ich setzte mich in eine der hinteren Bänke. Sie war aus fein poliertem Holz. Alles war wunderschön. Ich überlegte, ob ein Priester einer so hochklassigen Kirche überhaupt verstehen könnte, was mir passiert war. Wahrscheinlich gehörten Geschichten von Skatern und Paranoid Parks und Typen namens Schramme nicht gerade zu seinem Spezialgebiet.

Ich saß da. Ich starrte vor mich hin. Die Ruhe und die Stille fingen an zu wirken. Aus irgendeinem Grund dachte ich an Henry. Ich stellte mir vor, wie er zu Hause vor dem Fernseher lag, abgemeldet, übersehen, Abend für Abend. Kein Dad. Mom am Durchdrehen. Der große Bruder mit dem schrecklichen Geheimnis in seinem Zimmer eingesperrt. Meine Familie war dabei, sich aufzulösen.

Ich fing an zu weinen. Es gab schon so viel Schmerzliches auf dieser Welt. Und was hatte ich getan? Dafür gesorgt, dass es noch schlimmer wurde. Ich hatte alles noch viel schlimmer gemacht.

Trotzdem – nachdem ich geweint hatte, fühlte ich mich besser. Und mir gingen eigenartige Gedanken durch den Kopf. Ich blickte mich um und überlegte, warum eigentlich niemand Sachen aus Kirchen stiehlt. Es gab dort so viel Zeugs – die Bänke und die Bücher, vielleicht waren manche von den Metallsachen sogar aus richtigem Gold, aber es passte niemand auf. Ich suchte die Decke nach Kameras ab. Ich war froh, dass ich nichts laut gesagt hatte. Wahrscheinlich würden sie denken, ich weinte, weil mein Hund gestorben war. Ich wünschte, mein Hund *wäre* gestorben. Nein, lieber doch nicht.

Dann wurde es noch verrückter. Ich kam mir total stark vor, als ich die Kirche verließ. Wie der größte Misthaufenschaufler. Ich stapfte die Straße entlang, als wollte ich sagen: *Leg dich ja nicht mit mir an, du Arschloch.* Ich starrte die Mädchen im Park an, als wollte ich sagen: *Ihr glaubt, eure Freunde sind harte Jungs? Ihr wisst ja nicht, was hart ist!*

Aber das war so böse und schlecht, dass ich mich sofort total beschissen fühlte. Ich konnte kaum weitergehen. *Was ist bloß los mit mir?* Am liebsten hätte ich wieder geweint, aber ich hatte mich ausgeheult. Ich fragte mich, wann das wohl endlich vorbei sein würde. Ich versuchte mir vorzustellen, wie es mir in fünf oder in zehn Jahren gehen würde. Würde ich jemals wieder einfach nur die Straße langlaufen können?

Und das betraf nur die günstigste Variante. Es gab ja immer noch die Möglichkeit, dass ich geschnappt werden würde.

Ich ging zu Fuß zurück. Überall im Zentrum waren die Menschen auf dem Weg von der Arbeit nach Hause. Sie trugen Anzüge und Geschäftskleidung und stiegen in schicke Autos. Wahrscheinlich schleppten auch die was aus ihrer Vergangenheit mit sich rum – hatten Fehler gemacht, Böses getan. Das konnte gar nicht anders sein. Ich dachte an die Soldaten im Irak, an die, die in Vietnam und in allen anderen Kriegen waren. Die *müssen* töten. Und müssen damit leben. Allen Soldaten geht das so, zu allen Zeiten. Und Töten ist ja nicht etwas so Bizarres, dass es nie passieren würde. Im Fernsehen wird alle 2,5 Minuten jemand getötet. In Computerspielen tut man nichts anderes als töten.

Aber was macht man mit dieser Last? Wenn man sie einmal auf den Schultern hat? Soll man einfach ein Mann sein? Die Last hinnehmen? Vielleicht. Vielleicht ist das der wahre Test. Vielleicht ist es genau das, was einen zum Mann *macht*: die Fähigkeit zu funktionieren, auch wenn man die schrecklichsten Geheimnisse mit sich herumträgt. Das ist wahrscheinlich der Grund, warum einem viele erwachsene Männer so lächerlich vorkommen. Weil die diese Last noch nie gespürt haben. Noch keine solche Verantwortung wahrgenommen haben. Noch keine Probe bestanden, sich noch nichts bewiesen haben, kleine Jungen sind, in den Kleidern von Erwachsenen.

Solche wie mein Dad.

Am Freitag sollte bei Christian Barlow eine Riesenparty steigen. Jennifer nervte mich die ganze Woche damit.

Ich ging früh hin, damit ich noch ein bisschen mit Jared abhängen und die Halfpipe ausprobieren konnte, die Christian sich im Garten gebaut hatte. Ich hatte kein Brett und hab mir das von Jared geborgt, aber ich habe nur Scheiße gebaut. Kriegte überhaupt nichts gebacken. Nachdem ich ein paar Mal auf den Arsch gefallen war, gab ich auf und setzte mich zu den Nicht-Skatern ins Gras. Das war auch okay. Es war ein perfekter Septemberabend – noch warm, es duftete nach welken Blättern. Alle spürten, dass der Sommer zu Ende ging, und waren entsprechend locker. Ich gab mir Mühe, den Abend so gut wie möglich zu genießen.

Dann tauchte Macy McLaughlin auf. Mit ihren coolen Freundinnen. Sie blieben im Rudel zusammen, redeten mit sonst niemandem. Alle hatten sich aufgetakelt, wollten die älteren Schüler beeindrucken.

Als Macy mich sah, kam sie rüber. »Hey«, sagte sie.

»Hey«, erwiderte ich.

Sie guckte zur Halfpipe. »Wieso skatest du nicht?«

»Kein Bock.«

Eine Freundin von ihr kam dazu. Beide standen vor mir. Ich lag im Gras, den Kopf auf Jareds Brett.

»Ihr könnt euch setzen, wenn ihr wollt«, sagte ich.

Sie wollten nicht. Sie mussten mit ihren Freundinnen ins Haus zurück.

Ich schaute ihnen nach. Eigenartig, wie die Jüngeren heranwuchsen. Ich erinnerte mich an meine ersten Partys, wie ich rumstand, mich umguckte und versuchte, so zu tun, als wüsste ich genau, was abging.

Das sind die Probleme, die man haben sollte, wenn man jung ist.

Als es dunkel wurde, gingen wir ins Haus. Es war eine gute Party. Alle waren bester Laune und freuten sich auf das neue

Schuljahr. Ich blickte mich nach Jennifer um, aber sie war nicht da. Also wanderte ich umher und spielte mit ein paar Jungs im Keller Kicker.

Jennifer kam gegen halb elf. Petra und sie machten bei ihrer Ankunft eine große Show. Sie waren bei Elizabeth Gould gewesen, wo sie »Cocktails« getrunken hatten, und nun waren sie breit und wollten tanzen und einen draufmachen. Ich ging ihnen aus dem Weg und hockte mich zu Jared und anderen aus der Zwölften in den Garten. Da tauchte Macy wieder auf. Sie hatte ihre Freundin aus den Augen verloren und setzte sich neben mich. Es fiel kaum ein Wort, dann sah sie ihre Freundinnen und lief weg.

Als sie weg war, fragte mich Jared, wer das sei, und ich sagte, Macy McLaughlin aus meiner Straße.

Er meinte, sie sei süß. Die anderen Typen stimmten ihm zu. Sie machten einen auf: Alter, wo kommt die denn her?

Und ich machte einen auf: Ganz ruhig, Jungs, sie ist so was wie meine kleine Schwester.

Aber das war denen egal. Sie fanden sie scharf.

Gegen Mitternacht entdeckte mich Jennifer. Sie packte mich an der Hand und zog mich in den oberen Stock. Offensichtlich hatte sie ein Zimmer ausgeguckt, in dem wir fummeln konnten oder was immer. Es war das Zimmer von einem kleinen Mädchen.

Jennifer verriegelte die Tür und legte ihre Arme um mich und zog eine Riesenshow ab, machte einen auf sexy, als hätte sie den ganzen Abend darauf gewartet, ihren Kerl rumzukriegen. Sie bewegte sich total anzüglich, als wäre sie wild vor Leidenschaft.

Es ging alles ziemlich schnell. Wir legten uns aufs Bett und sie legte sich auf mich drauf. Erst war ich voll dabei. Sie roch gut, und es war leicht, sich im Augenblick zu verlieren. Aber dann wurde mir klar, wie ernst sie es meinte. Das war er. Der große Augenblick. Heute sollte »es« geschehen. Sie war fest entschlossen.

Ich hielt sie nicht auf. Ich hätte es tun sollen. Außerdem war das Ganze sowieso total schräg. Die meiste Zeit hatte ich das Gefühl, als wäre ich gar nicht dabei, als wäre ich außerhalb meines Körpers und würde über allem schweben. Einmal dachte ich: *Bitte, lieber Gott, mach, dass das vorbeigeht. Ich gebe auf. Ich habe keine Ahnung, wie man sich als Mensch verhält. Immer mache ich was falsch, und was ich danach tue, macht alles nur noch schlimmer.*

Hinterher schmusten wir, aber selbst das kam mir vor wie ein Akt. Alles, was wir tun, ist ein Akt. Alle machen, was von ihnen erwartet wird. Mit vierzehn musst du küssen lernen. Mit fünfzehn autofahren. Mit sechzehn Sex. Das Leben ist leicht. Einfach dem Plan folgen, keine großen Fehler machen und dann wird alles gut.

Jennifer streichelte meinen Kopf. »Das war *unglaublich*«, hauchte sie mir ins Ohr.

Ich nickte.

»Meinst du, wir sollten es noch mal machen?«, fragte sie und hob den Kopf. »Oder möchtest du lieber warten? Vielleicht sollten wir lieber warten. Wir brauchen mehr Kondome. Wir sollten uns welche kaufen. Bei *Rite Aid* gibt's welche. Da holen sich Petra und Mike ihre.«

Sie legte sich hin und drehte sich auf den Rücken. »Du warst echt gut«, seufzte sie. »War ich gut?«

»Ja«, antwortete ich. Noch ein paar Minuten lang blieben wir so liegen. Dann wurde sie unruhig. »O nein, ich muss ins Bad«, sagte sie. Sie ging in das kleine Bad neben dem Bett. Auf dem Weg dorthin zog sie ihr Handy aus der Jeanstasche.

Ich konnte sie hören. Sie klappte den Klodeckel runter. Ich hörte, wie sie in die Tasten des Telefons tippte. Sie quiekste in den Hörer. »Ja! *Ja!*«, flüsterte sie. »Wir haben es gemacht, richtig ... O mein Gott, es war *fantastisch*!«

Ich konnte nicht hören, was sie sonst noch sagte. Ich stand auf. Ich fand meine Unterhosen und zog sie an. Jennifer betätigte die Klospülung und kam zurück. Auch sie hob ihre Sachen auf. »Sollen wir wieder runtergehen?«, fragte sie mich.

»Na klar«, sagte ich.

Wir gingen zurück zur Party. Sobald wir die Treppen runter waren, rannte sie ins Wohnzimmer zu ihren Freundinnen. Ich ging in die andere Richtung, in den Garten. Es standen noch Leute um die Halfpipe herum, im Dunkeln. Ein Anfänger war drauf, er rollte hin und her und gab sich Mühe, nicht zu fallen. Ich schaute ihm zu. Es beruhigte mich irgendwie. Hin und her. Hin und her. Nicht fallen ....

Das ganze Wochenende wurde zu einer einzigen Party. Freitagnacht gingen alle nach Hause und schliefen. Am nächsten Tag trafen Christian und Jared und noch ein paar und ich uns bei Paul Auster, wo wir Skater-Videos anguckten und am Computer spielten. Dann trafen wir uns mit Jennifer und Elizabeth und denen und gingen ins Kino.

Jennifer war total glücklich. Sie grinste fett und alle ihre Freundinnen glotzten mich an und kicherten. Elizabeth sprach es sogar aus: »Ihr zwei habt es also besiegelt.«

Am Abend fuhren wir alle zusammen ins Zentrum. Wie immer war der Broadway voller Autos mit Oberschülern, die sich gegenseitig was zubrüllten. Wir rannten hin und her und tauschten die Plätze in den Autos. Ich geriet mit Jennifer in Elizabeth Goulds Auto, wo alle rumalberten und Sex-Witze erzählten. Es kam mir vor wie die offizielle Party zu Jennifers Entjungferung. Noch nie hatte ich Jennifer so glücklich gesehen.

Sonntags gingen die Jungs ins Skate City. Ohne Brett wollte ich nicht mit, also fuhr ich mit Moms Auto zum Einkaufszentrum, um mir ein neues Brett zu holen. Ich wollte eins kaufen, das dasselbe Deck hatte wie mein altes, und es dann irgendwie abnutzen. Klar, wirklich täuschen hätte ich damit niemanden können – es sollte nur weniger offensichtlich sein. Aber so eines hatten sie nicht. Also nahm ich ein sehr ähnliches und zahlte mit meiner Kreditkarte. Ich hatte genug Geld, weil mein Dad mir vor lauter Schuldbewusstsein gerade das Taschengeld erhöht hatte.

Dann stieß ich zu den anderen Jungs im Skate City. Es war komisch – keine Mädchen dabei, niemand redete über

Jennifer und mich. Das war kein Thema. So ist das beim Skaten. Da vergisst man solche Sachen einfach.

Am Montag in der Schule ging's dann wieder nur noch um Jennifer. Sie kam zu meinem Schrank und wollte wissen, ob ich schon die Kondome hätte. Hatte ich nicht. Ob ich sie nach der Schule holen würde? Konnte ich nicht sagen. Vielleicht.

»Was ist los mit dir?«, fragte sie. »Bist du sauer?«

»Nein«, sagte ich.

Sie starrte mich an. »Du bist manchmal echt schräg. Nach dem, was wir beide gemacht haben. Ein bisschen mehr freuen könntest du dich schon, wenn du mich siehst.«

»Hey, das Ganze war deine Idee«, sagte ich.

»*Was*?«, fragte sie. Sie trat einen Schritt zurück. »Was soll denn das heißen?«

»Nichts.«

»Also war das mit dem Sex bloß *meine* Idee?«, flüsterte sie wütend. »Du wolltest es gar nicht? Du hast nur einfach mitgemacht?«

»Nein. Nein, ich will nur sagen, du bist diejenige, die *Kondome* besorgen wollte. Also habe ich gedacht, wir holen sie zusammen.«

Das akzeptierte Jennifer. »Oh«, sagte sie. »Okay. Ich dachte, du meinst was anderes.«

»Nein, ich habe nur das gemeint.«

»Okay«, sagte sie. »Gut ... dann machen wir das.«

»Genau«, sagte ich.

Den Rest des Tages ließ Jennifer mich in Ruhe. Vor der letzten Stunde sagte sie mir, sie könne nachher nicht, sie habe einen Termin beim Dermatologen. Das war eine Erleichterung.

Da ich nun nichts vorhatte, suchte ich Jared und die anderen und skatete mit ihnen bei den Stufen hinter der Cafeteria. Da ging es mir gleich besser. Ich hatte das Gefühl, dass ich meine Skater-Beine zurückbekam. Ich mochte mein neues Brett. Mir gelangen wieder Tricks.

Später, als wir rumsaßen und Cola tranken, erzählte Jared noch mehr Einzelheiten von seinem Ausflug zum College und von der verrückten Studentin, die er da aufgerissen hatte. Er hatte das schon mal erzählt, aber die anderen hörten es gerne wieder. Es war schon eine irre Geschichte.

Beim Zuhören überlegte ich, ob ich jemals irgendjemandem von meiner Nacht im Paranoid Park erzählen würde. Ich kam zu dem Schluss, dass ich das niemals tun würde. Das war einfach nicht möglich. Es durfte nicht herauskommen. Wenn der Rumpf eines U-Bootes einen Riss hat, trennt man den Teil ab, der leck ist, und versiegelt die Naht. Genau das würde ich mit jenem Teil meines Lebens tun: abtrennen und versiegeln. Was konnte ich denn sonst tun? Riskieren, es jemandem zu erzählen? Mein ganzes Leben darauf setzen, dass Polizei und Anwälte und Richter entschieden, ob ein Skater das Recht auf Notwehr hat? Es tat mir leid. Der Wachmann und seine Familie taten mir leid. Aber ich konnte es nicht wiedergutmachen. Es war geschehen und vorbei. Unser aller Leben ging weiter.

Und wenn mich das belastete, wenn es mir schlaflose Nächte bereitete, nun, dann war es das Opfer, das ich für die anderen Beteiligten brachte. Für meine Eltern, meinen Bruder, für die Leute, die mich unterstützt und die mich unterrichtet und mir geholfen und in meine Zukunft investiert hatten.

Für sie alle würde ich die Last tragen. Ich würde ein Mann sein, für sie alle.

SEASIDE, OREGON

6. JANUAR AM MORGEN

Liebe ...!
Heute früh trinke ich Kaffee. Das ist etwas, das ich hier in Onkel Tommys Haus gelernt habe: morgens Kaffee trinken.

Wie auch immer – so war die Situation. Die ersten zwei Tage waren die reine Hölle. Die nächsten total beschissen. Nach einer Woche wurde es etwas besser. Und nach zehn Tagen, tja, da schien das Schlimmste vorbei zu sein, hatte ich die Krise überstanden. Möglich, dass ich den Rest meines Lebens wie ein Zombie rumlaufen würde, aber jedenfalls hatte ich ein Leben vor mir.

Eines Abends kam ich aus der Dusche und blieb im Fernsehzimmer hängen und guckte mit meinem kleinen Bruder den Schluss von *Crossing Jordan*. Ich trocknete mir gerade die Haare mit einem Handtuch ab, da kamen Nachrichten. Die Sprecherin sagte etwas von einem Skandal um den neuen Trainer der Trail Blazers. Dann sagte sie: »Und die Polizei ist zu der Überzeugung gekommen, dass der Wachmann, dessen Leiche in der vergangenen Woche am Rangierbahnhof in Südost-Portland gefunden wurde, das Opfer eines Mordes ist. Mehr über diesen Fall sowie das Neueste vom Sport und Wetter erfahren Sie um dreiundzwanzig Uhr, bleiben Sie dran.« Während sie sprach, erschien neben ihrem Kopf eine kleine Grafik von Eisenbahngleisen.

Dann kam Werbung für den neuen Honda Odyssee.

Ich war völlig perplex, rührte mich nicht. Henry saß am anderen Ende der Couch und zappelte mit den Füßen.

Ich versuchte zu atmen. Es ging nicht. Ich versuchte, meinen Arm zu heben, meine Haare weiter trockenzurubbeln, aber auch das gelang mir nicht. Ich brachte einen kurzen, verkümmerten Atemzug zustande. Auf dem Fernsehschirm war eine Familie im Honda Odyssee zu sehen, eine glückliche Familie, mit Hund und Kindern, die auf der Rückbank saßen und in TV-Bildschirme guckten. Mein Magen zog sich so zusammen, dass ich dachte, ich müsste mich übergeben.

Ich schaffte es, auf die Beine zu kommen und in mein Zimmer zu gehen. Ich setzte mich auf mein Bett und bekam wieder Luft. Dann ging ich zu meinem Computer. Wenn sie es im Fernsehen brachten, dann auch online. Ich klickte auf die Website des lokalen Nachrichtensenders. Es war der Aufmacher auf der Homepage.

Tod am Gleis
war möglicherweise Mord

Die Polizei hat den Fall des Wachmanns Cole R. Stringer, der am Morgen des

18. September in Südost-Portland tot aufgefunden worden war, neu aufgerollt. Anfangs hatte es die Polizei für einen Unfall gehalten, aber das Ergebnis der Obduktion deutet auf einen Mord hin, so dass die Ermittlungen wieder aufgenommen wurden.

Cole Stringer, ein uniformierter Wachmann, war auf dem Gelände des Rangierbahnhofs in Portlands südöstlichem Industriebezirk tot aufgefunden worden. Stringer, 32, Angestellter bei Port of Portland, kontrollierte den Rangierbahnhof und dessen Umgebung. Dem ersten Anschein nach war Stringer an einem vorbeifahrenden Güterzug hängen geblieben, sein Tod daher ein Unfall.

Die Firma ist gesetzlich verpflichtet, Leichen von Angestellten, die ihr Leben während der Arbeit verloren haben, obduzieren zu lassen. Nach Auswertung des Obduktionsberichtes hat die Polizei von Portland die Ermittlungen wieder aufgenommen.

»Bei der Obduktion wurden Hinweise darauf gefunden, dass andere beteiligt gewesen sein könnten«, sagte Clyde Miller, der Pressesprecher der Polizei von Portland.

Personen, die sachdienliche Hinweise zu dem Fall geben können, werden gebeten, die Polizei unter der Sondernummer 555-778-7778 anzurufen.

Ich las es einmal. Ich las es wieder. Dann klickte ich in meinem Browser auf *History* und sah, dass da viele lokale Nachrichtensender und Sites über Verbrechen vermerkt waren. Ich war nachlässig geworden. Ich klickte auf »History entfernen« und checkte dann noch mal, ob wirklich alles weg war.

Ich überlegte weiter. Meine schmutzigen Schuhe und Socken, wo waren die? Im Container, wahrscheinlich längst entsorgt. Was war mit dem Auto meiner Mutter? Ich hatte es neulich saubergemacht, die Sitze und die Pedale abgeschrubbt. Was war mit meiner Story? Wer wusste, wo ich in der Nacht gewesen war? Jared. Was hatte ich ihm gesagt? Ich hatte ihm gesagt, dass ich nicht im Paranoid Park war.

Meine Story lief so: Ich war nicht im Paranoid Park. Daran musste ich mich halten. Ich habe Jared abgesetzt, bin herumgefahren, dann zu ihm nach Hause. So war es. Ich war nicht im Paranoid Park.

Aber was war mit meinem Skateboard? Wo war mein Skateboard? Konnte ich sagen, jemand hätte es mir gestohlen? *Ja!* Jemand hat mein Skateboard gestohlen und dann damit das Verbrechen begangen. Aber nein, wenn die Polizei das herausfand, wenn sie mit Leuten redeten, die in der Nacht im Paranoid Park waren, dann würden sie wissen, dass ich es war. Was war mit Schramme? Konnte ich ihm das anlasten? Er hat mein Skateboard genommen und *er* hat den Wachmann damit geschlagen! Nein, nein, nein. Ich konnte das doch nicht einem anderen in die Schuhe schieben. Was sollte denn das? Das war total fies.

Aber vielleicht kann ich es doch. Schramme war ein Straßenkid. Dem würden sie nicht glauben. Das war keiner, der aufs College gehen würde, der wohnte nicht in einer ordentlichen Gegend, sie würden … nein, nein, nein. Das war Irrsinn … Ich konnte nicht noch mehr Unheil anrichten. Ich musste mich korrekt verhalten. Ich musste das Richtige tun, und zwar sofort, bevor ich die Nerven verlor.

Ich ging zu meinem Telefon und nahm den Hörer ab. Ich tippte die Nummer. 555-788-7778, aber das war nicht die richtige Nummer. Ich ging zu meinem Computer. Aber ich hatte die Site gelöscht. Ich versuchte es noch einmal. Es war … 555 … 788-7888, aber noch bevor es tutete, legte ich auf. Aber das war dumm, wenn sie nun die Anrufer registrierten? Wenn sie mich nun zurückriefen?

Ich geriet in Panik. Ich stand auf und stapfte in meinem Zimmer auf und ab. Hatte ich noch irgendwas aus der Nacht? Nein. Ich hatte immer noch Jareds Jeans. Die musste ich ihm zurückgeben. Was war mit den Leuten auf der Brücke? Die beiden Frauen. Die hatten mich nicht bemerkt. Die waren so in ihr Gespräch vertieft gewesen. Der Typ auf dem Fahrrad. Der vielleicht. Wir waren ja fast zusammengestoßen. Und ich war so dreckig gewesen! Wie konnte mich jemand nicht bemerkt haben? Aber dreckig sein hat nichts zu bedeuten. Ich hätte Mechaniker sein können oder ein Typ vom Bau oder so was.

Ich ging hin und her. Und aus dem ganzen Gewirr in meinem Kopf schälte sich immer der eine Gedanke heraus: Du musst das Richtige tun. Ich ging zurück zum Telefon. Ich nahm es in die Hand. Ich starrte auf die Tasten. *Ich bin ein Junge*, dachte ich. *Ich bin sechzehn. Jungs bauen Scheiß. Jungs kriegen Angst. Niemand wird sich darüber aufregen, dass ich es nicht gleich gesagt habe. Ich werde sagen, ich weiß nicht, was passiert ist. Es gab ein Gerangel und dann sind wir abgehauen. Wir haben nicht gesehen, wie er umgekommen ist. Wir wussten nicht mal, dass er umgekommen ist.*

Natürlich. Das war perfekt. »Nein, Herr Wachtmeister«, würde ich sagen. »Wir haben ihn bloß weggeschubst und sind weggerannt. Wir wussten nicht, dass er vom Zug überrollt wurde. Erst als ich es in den Nachrichten gesehen habe, wusste ich, dass ich mich sofort melden muss.«

Ja, das war gut. Besser, als alles gleich rauszuposaunen. Es war doch bloß Körperverletzung mit Todesfolge? Oder wie immer man das nennt, wenn jemand versehentlich getötet wird. Und ich war noch nicht volljährig. Und ich hatte es nicht gewusst! Das war es. Ich hatte noch nicht mal gewusst, dass er tot war!

Ich tippte die Nummer der Polizei. Dann knallte ich den Hörer wieder auf. Nein. Wenn nun was schief ging? Wenn Schramme nun dachte, ich würde ihn verpfeifen? Er würde mich umbringen. Er würde Freunde im Knast haben, die mich umbringen würden. Es war viel zu riskant, den Bullen von Schramme zu erzählen. Schramme musste ich rauslassen. Wenn möglich.

Was war mit Fußabdrücken? Am Tatort musste es Fußspuren geben. Und Blut. Hatte ich irgendwo Blut hinterlassen? Was war mit dem Sportwagenfahrer, der gesehen hatte, wie ich von den Gleisen weggeskatet war? Den hatte ich total vergessen.

Das wurde immer verrückter. Ich musste mich beruhigen. Ich musste mich konzentrieren und logisch denken. Schramme war wahrscheinlich längst weg. Er hatte einen Vorsprung von zehn Tagen. Er war wahrscheinlich schon eine Million Meilen weg, in Kanada oder in Mexiko. Wo immer er war, ihn würden sie nie finden.

Was war mit Zeugen? Wer war an dem Abend noch im Paranoid Park? Der Freund und die Freundin von Schramme. Die würden sich an mich erinnern. Das Mädchen hieß Paisley. Und der Typ? An dessen Namen erinnerte ich mich nicht. Vielleicht hatte ich ihn nie gewusst.

Was viel wichtiger war: Hatte ich denen meinen Namen gesagt? Nein, hatte ich nicht. Hatte ich von meinem Auto erzählt? Nein, ich hatte gelogen und gesagt, ich hätte keins. Hatte ich ihnen gesagt, wo ich wohne? Nein, hatte ich nicht. *Ich habe ihnen nichts gesagt, weil ich Angst vor ihnen hatte und nicht wollte, dass sie wissen, wer ich wirklich war.* Okay, aber würden sie noch wissen, wie ich aussah? Wahrscheinlich nicht. Ich war ein stinknormaler Oberschüler, der sich aufs College vorbereitete. Ich sah aus wie eine Million andere Schüler.

Aber wenn Schramme nun zu seinen Kumpels zurück ist? Wenn sie alle irgendwo zusammen waren? Und was, wenn *sie* es nun mit der Angst zu tun bekamen und beschlossen, alles mir in die Schuhe zu schieben, um sich selbst zu schützen?

Die Nacht war schrecklich. Ich lag im Bett, mein Hirn rotierte immer schneller, jede Möglichkeit, die mir einfiel, alles, was ich mir ausdachte, endete im Desaster. Ich spürte, wie mich die Last von alldem erdrückte. Was immer ich auch tat, ich hatte jemanden getötet. Dem konnte ich nicht entkommen. Jemand würde aussagen, jemand würde sich an mich erinnern, irgendwas würde schiefgehen. Und dann würde die Polizei kommen.

Die Polizei. Im Grunde hielt mich die Angst vor der Polizei davon ab, etwas zu tun. Aber warum vertraute ich der Polizei nicht? Und warum betrachtete ich mich überhaupt als Kriminellen? Warum war ich so sicher, dass sich alles gegen mich wenden würde?

Als ich da so im Dunkeln im Bett lag, kam mir plötzlich die Erkenntnis: *Ich bin ein schlechter Mensch.*

Das war ich. Ich begriff es sofort. Das erklärte alles. *Charakter ist Schicksal.* Das hatte mein Englischlehrer zu Beginn des Schuljahres an die Tafel geschrieben. Ich hatte einen schlechten Charakter, ich war ein schlechter Mensch und jetzt hatte mich mein Schicksal eingeholt.

In Gedanken ging ich alles Böse durch, das ich getan hatte. Ich hatte gelogen, ich hatte gestohlen. In der vierten Klasse hatte ich Howie Zimmermann zusammengeschlagen. In der Neunten hatte ich einen Einkaufswagen in den Clackamas-Fluss geschmissen. Beim Skaten war ich an den Rückspiegel eines Autos gekracht, so dass der abging. Die Liste war endlos. Sie betraf jede Phase meines Lebens. *Noch am letzten Wochenende habe ich Sex mit einer gehabt, die ich nicht mal besonders leiden kann!*

Gegen Morgen schlief ich für ein paar Minuten ein, dann klingelte der Wecker. Ich musste zur Schule. Ich ging ins Bad, aber nicht mal das heißeste Duschwasser konnte die

Spannung in meinem Rücken und meinem Nacken lösen. Mein ganzer Körper war ein einziger pochender Knoten. Im Spiegel sah ich, dass mein Gesicht geschwollen und voller roter Flecken war. Ich sah so fürchterlich aus, dass ich sicher war, meine Mutter würde was sagen.

Aber sie hatte ihre eigenen Probleme. Ich frühstückte und vermied, auf die Zeitung zu gucken, die Henry auf dem Tisch ausgebreitet hatte. *Ich bin ein schlechter Mensch.* Das hatte ich über Nacht verstanden. Ich war schlecht und ich würde sterben und dann wäre ich weg von der Erde und das war gut. Es wäre gut für mich. Es wäre auch gut für die Erde.

Dann kamen mir die Tränen. Ich musste aufstehen und rausgehen, ohne dass jemand mein Gesicht zu sehen bekam. Ich rannte in den Keller runter, ließ mich auf die alte Couch fallen und schluchzte, so leise ich konnte.

»Herzchen?«, rief meine Mutter die Treppe runter. »Was machst du denn? Du kommst zu spät!«

Ich konnte mich inzwischen sehr gut verstellen. Ich hörte sofort auf zu weinen und sagte mit ganz normaler Stimme: »Nichts, Mom. Ich such nur ein Buch. Kann ich mit deinem Auto zur Schule fahren?«

»Das wirst du müssen, wenn du dich nicht beeilst …«

»Ich weiß. Ich komm schon«, sagte ich. Mit dem Handrücken trocknete ich mir die Augen. Ich wischte den Schnodder vom Kissen. Ich holte tief Luft und ging die Treppe rauf.

Im Flur trat mir meine Mutter entgegen. »Herzchen, deine Augen sind ja ganz rot – ist was?« Das Komische war, dass sie dachte, es wäre ihre Schuld. Sie dachte, ich würde unter ihrer Trennung leiden.

»Nein, alles in Ordnung«, antwortete ich. »Das ist bloß die Allergie.«

»Hast du die Tabletten genommen?«

»Habe ich, aber die machen mich so müde. Ich muss jetzt los. Kann ich dein Auto haben?«

Sie gab mir die Schlüssel und ich verließ eilig das Haus. Ich warf meine Bücher auf den Beifahrersitz und blieb noch einen Moment still sitzen, um zur Besinnung zu kommen.

Da sah ich, dass neben mir auf dem Rasen Macy McLaughlin stand.

Macy hatte den Bus verpasst und brauchte eine Mitfahrgelegenheit. Ob ich sie mitnehmen würde?

Das war nun wirklich das Letzte, was ich wollte. Aber was konnte ich sagen? Ich nickte ihr zu, sie solle einsteigen. Das tat sie auch, und sie schnallte sich an, während ich den Motor startete. Ich setzte zurück, aber zu schnell, so dass ich beinahe unseren Briefkasten erwischte. Ich musste es langsamer angehen.

Ich legte den Gang ein und schoss vorwärts. Im selben Moment flitzte Rufus, der Hund unseres Nachbarn, direkt vor mir auf die Straße. »Runter von der Straße, du blöder Hund!«, brüllte ich.

Macy starrte mich an.

»Warum können die Leute ihre blöden Hunde nicht in ihren blöden Häusern halten, wo sie hingehören?«, murmelte ich.

Macy blieb still.

»Oder etwa nicht?«, sagte ich. »Du hast ihn doch gesehen. Der ist direkt vor mir auf die Straße gerannt!«

»Ich habe überhaupt nichts gesagt.«

»Und jetzt kippt der garantiert die Mülltonnen um. Und ich muss alles aufräumen.«

»Du hast echt gute Laune heute Morgen«, sagte sie. »Was ist mit deinen Augen?«

»Nichts. Allergie.«

»Ich dachte, Allergien hat man im Frühling«, sagte sie.

Ich antwortete nicht. Ich starrte auf die rote Ampel. Ich machte das Radio an. Aber inzwischen hasste ich das Radio, ich konnte nicht mehr als ein paar Sekunden zuhören. Ich schaltete es aus.

»Übrigens, ich soll dich was fragen«, sagte Macy.

»Ja? Was denn?«

»Meine Freundin Rachel will ihrem Freund ein Skateboard kaufen. Zu ihrem Jahrestag.«

Ich schüttelte den Kopf.

»Wieso denn nicht?«, fragte sie.

»Deine Freundin kann ihrem Typen kein Skateboard kaufen.«

»Deswegen soll ich ja dich fragen.«

»Man kann kein Skateboard für jemand kaufen«, sagte ich. »Das ist was Persönliches. Das muss man sich selber aussuchen.«

»Würdest du wenigstens mitkommen?«

»Außerdem sind die viel zu teuer. Ein anständiges Skateboard kostet hundert Eier.«

»Das ist ihr egal.«

»Nein, das ist keine gute Idee.«

»Aber könntest du nicht trotzdem mitkommen?«

»Nein«, sagte ich. »Und sie sollte die Finger davon lassen.«

»Ohh-kay«, sagte Macy. »Sieht so aus, als hätte hier jemand echt miese Laune ...«

»Wer kommt schon auf die Idee, für jemand ein Skateboard zu kaufen«, schnaubte ich. »Das ist bescheuert.«

Ich fuhr wieder zu schnell. Ich zwang mich, vom Gas zu gehen.

Macy beobachtete mich. Ich spürte ihren Blick. »Ist was?«, fragte sie.

»Nein. Alles okay.«

Sie guckte zu den Häusern auf der rechten Seite. »Ich habe das mit deinen Eltern gehört.«

»Meine Eltern sind mein geringstes Problem.«

»Ach ja? Was ist es denn? Jennifer Hasselbach?«

»Nichts«, sagte ich und senkte die Stimme. »Hab nur nicht genug geschlafen die letzte Nacht.«

Mehr sagte ich nicht. Wir waren an der Schule. Ich rollte über die Bodenschwellen am Vordereingang. »Wenn ihr ein Skateboard kaufen wollt, geht in den Laden im Einkaufszentrum.«

»Aber deswegen fragen wir ja dich. In der Stadt soll es einen besseren Laden geben. Jedenfalls sagen das alle.«

»Ich habe keine Ahnung, was in der Stadt läuft«, log ich und bog in eine Parklücke. »Ich bin da nie.«

»Ich dachte, du wüsstest das. Alle sagen, du weißt das.«

»Stimmt aber nicht«, sagte ich. Ich schaltete die Zündung aus.

Macy machte ihren Gurt auf. »Also kommst du nicht mit?«

»Nein«, sagte ich. »Und guck mich nicht so an.«

»Wie denn?«

»Als ob ich mich wie ein Arschloch verhalte.«

»So gucke ich überhaupt nicht.«

Ich stieg aus und knallte meine Tür zu. »Doch.«

Macy stieg aus und knallte ihre Tür zu. »Na ja, irgendwie verhältst du dich schon wie ein Arschloch.«

Ich ließ sie stehen und ging zum Flügel des elften und zwölften Jahrgangs. Mädchen können so was von lächerlich sein. Sie verknallen sich in einen und schon kann man überhaupt nichts mehr falsch machen. Dann mögen sie einen nicht mehr und wollen einen rumkommandieren, als wäre man mal ihr Freund gewesen, was man aber nie war. Hat sie nicht mal leiden können.

Ich ging zum Unterricht. Ich ging zu meinem Schrank. Ich ging zur ersten Mittagspause in die Cafeteria. Parker und James saßen an ihrem üblichen Platz, aber Parker stand in dem Moment auf, in dem ich mich setzte. Er musste Vokabeln lernen. James ging ein paar Minuten später.

Also aß ich alleine. Ich stocherte mit meiner Gabel in den grünen Bohnen. Das erinnerte mich an die Zeit in der neunten Klasse, als wir rumalberten und »Knast-Essen« spielten.

Dabei musste man den Unterarm vor das Tablett legen, um sein Essen zu beschützen. Die anderen Jungs versuchten, einem die Fischstäbchen wegzuschnappen oder einem unter die Achseln zu greifen und den Nussriegel zu klauen oder was auch immer. Einfach Kinderkram. Was man eben so spielt. Und jetzt saß ich hier und konnte vor Angst kaum essen. Den Gedanken an »Knast-Essen« fand ich überhaupt nicht mehr lustig.

Macy und Rachel gingen vorbei; auch sie hatten die erste Mittagspause. Sie setzten sich mit anderen aus dem zehnten Jahrgang ans Ende des Tisches und unterhielten sich kurz, dann kam Rachel zu mir.

»Macy hat gesagt, du willst nicht mit uns in die Stadt«, sagte sie lächelnd und gab sich alle Mühe, mich zu bezaubern.

»Ich habe ihr gesagt, man kann einem Typen kein Skateboard kaufen.«

»Könntest du uns wenigstens sagen, wo wir hinsollen?«

»Ich weiß es selber nicht. Ich habe ihr gesagt, ihr sollt ins Einkaufszentrum gehen.«

»Aber in der Stadt gibt es einen besseren Laden. Das weiß ich genau. Warum hilfst du uns nicht?«

»Darum!«, sagte ich. »Weil's 'ne blöde Idee ist!«

Sie erschrak und ging zu den anderen am Ende des Tisches zurück.

Was zum Teufel soll das?, dachte ich. *Ich muss runterkommen.*

Eines hatte ich jedoch gelernt. Wenn man das Gefühl hat, dass man gleich total ausflippt, es aber schafft, noch ein paar Minuten durchzuhalten, wenigstens ein paar Sekunden, dann kann man sich wieder einkriegen.

Und genauso lief es. Ich aß zu Ende und ging in meinen College-Geschichtskurs. Wir sahen die zweite Hälfte von *Dr. Schiwago*. Ich saß hinten und schaffte es, fast eine Stunde lang zu schlafen. Danach ging es mir deutlich besser. In der sechsten Stunde hatte ich Mathe. Mr. Minter hatte gute Laune und gab für den letzten Test allen ein »Bestanden«, weil sein Computer abgestürzt war.

Ich bekam sogar ein schlechtes Gewissen wegen Macy und Rachel, und als ich die beiden nach der Schule sah, rief ich ihnen hinterher und winkte sie zu meinem Auto. Ich zeichnete ihnen auf, wo sich der Skateboard-Laden in der Stadt befand.

»Warum kommst du nicht mit?«, baten sie. »Wir wissen doch gar nicht, was gut ist.«

Ich überlegte einen Moment und dachte dann: *Wenn ich nicht mit ihnen gehe, muss ich den ganzen Nachmittag grübeln und fantasieren.* Also sagte ich ja. Wir drei stiegen ins Auto meiner Mutter.

Im Stadtzentrum stellten wir das Auto ab und gingen zu dem Skateboard-Laden. Rachel wollte wirklich ein Skateboard kaufen. Ihr Freund war ein Langweiler namens Dustin, der – soweit ich das wusste – noch nie skaten war, wenn er überhaupt jemals irgendwas gemacht hatte. Auch beim Basketball war er Scheiße, das wusste ich, weil ich mal gesehen hatte, wie er mit anderen auf dem hinteren Parkplatz Streetball gespielt hat.

Rachel sah sich alle Decks genau an. Sie ließ sich die verschiedenen Achsen und Räder und alles erklären. Es hat mir sogar richtig Spaß gemacht, etwa eine Stunde lang den Experten zu spielen. Ich hatte mein erstes Brett auch in diesem Laden gekauft. Das Brett, das jetzt in fünfzehn Meter Tiefe im Willamette-Fluss lag. Als ich die ganzen neuen Boards sah, bedauerte ich, meins im Einkaufszentrum gekauft zu haben. Hier gab es wirklich die besten Teile.

Rachel kaufte ein Brett für 119 Dollar. Das fand ich übertrieben. Vor allem, weil sich dann auch noch herausstellte, dass es sich bei dem »Jahrestag« nicht mal um den Tag handelte, an dem sie zum ersten Mal zusammen weggegangen waren, sondern um den Tag, an dem sie zum ersten Mal telefoniert hatten oder irgend so was Albernes. Mädchen sind echt schräg.

Als wir das Brett hatten, gingen wir weiter in der Stadt rum und dann zu Starbucks. Das war richtig nett. Mit Rachel zusammen abhängen war cool. Sie war niedlich und komisch, aber irgendwie echt. Ich hätte nichts dagegen gehabt, mit einer wie ihr zu gehen.

Macy war anders drauf. Die nervte mich aus irgendeinem Grund. Aber meine Stimmung änderte sich alle drei Sekunden. Ich wusste nicht, was ich wirklich dachte.

Nachdem wir ein paar Minuten gesessen hatten, guckte ich aus dem Fenster. Ich sah ein Mädchen. Sie war auf der anderen Straßenseite und quatschte mit einem Typen, der um Kleingeld bettelte. Das Mädchen war so schmuddelig wie er. Ihr Gesicht konnte ich nicht sehen. Aber dann drehte sie sich um, und ich sah, wer sie war: Paisley.

Ich spuckte fast meinen Mokka aus. Ich senkte den Kopf, aber dann fiel mir ein, dass sie mich durch die Scheibe gar nicht sehen konnte. Außerdem war sie sowieso am Quatschen. Der Typ gab ihr eine Zigarette. Sie zündete sie an und stand da und rauchte und redete mit dem Typen.

»Hast du Jennifer schon was gekauft?«, fragte Rachel mich. Macy war aufs Klo gegangen.

»Äh. Nein«, sagte ich. »Noch nicht.«

Sie sah, dass ich rausguckte. Sie guckte auch und sah Paisley und den Typen mit dem Hund. »Ist das nicht irre, wie die hier in der Stadt leben? Auf der Straße?«

Ich nickte.

»Ich habe gehört, dass es in Portland mehr obdachlose Jugendliche gibt als in irgendeiner anderen Stadt.«

»Echt?«

»Guck doch mal das Mädchen da«, sagte Rachel. »Die ist bestimmt jünger als wir. Und sie raucht. Und zieht sich so an. Ich wette, ihre Eltern hassen sie.«

Ich wandte mich vom Fenster ab. »Wann gibst du Dustin das Brett?«, fragte ich.

»An diesem Wochenende«, sagte Rachel. »Der flippt bestimmt aus, meinst du nicht auch?

»Ja«, sagte ich. »Ist ein nettes Brett.«

Rachel setzte ich als Erste ab. Sie holte das Brett vom Rücksitz und rollte damit ihre Auffahrt hoch. Ich spürte ein eigenartiges Kribbeln im Herzen. Ich hatte jemandem geholfen. Ich hatte was Sinnvolles getan. Ein gutes Gefühl.

Ich fuhr mit Macy zu unserer Straße. Wir schwiegen. Es fing an zu regnen und ich stellte die Scheibenwischer an.

»Kann ich dich mal was fragen?«, fragte Macy.

Ich antwortete nicht.

»Du bist in letzter Zeit so komisch«, sagte sie. »Ist irgendwas?«

»Mir geht's gut.«

»Ich meine, das mit deiner Familie. Das muss dich doch belasten, oder?«

»Keine Ahnung.«

»Du wirkst so gestresst. Und wenn du nicht gerade ausflippst, dann guckst du komisch. Als wärst du tausend Meilen weit weg.«

Ich starrte stur geradeaus. »Vielleicht ist es ja wegen meiner Familie.«

»Oder wegen Jennifer?«

Ich zuckte die Achseln. »Um ehrlich zu sein, ich weiß es nicht.«

»Du bist doch nicht sauer auf mich, oder?«

»Auf dich?«, sagte ich. »Nein. Überhaupt nicht.«

»Ich bin nicht mehr in dich verknallt. Falls es das sein sollte.«

»Das weiß ich.«

»Und es tut mir leid, dass ich neulich so peinlich war.«

»Kein Ding.«

Wir fuhren.

»Die Sache mit Jennifer ...«, machte sie weiter. »Also, ich weiß nicht. Das ist doch irgendwie seltsam. Die ist doch überhaupt nicht dein Typ. Also, das mit Elizabeth und Christian, das kann ich verstehen, und auch die anderen Mädchen, die unbedingt einen Skater zum Freund haben wollen. Aber du und Jennifer. Das ist doch ...«

»Ich weiß. Stimmt.«

»Echt? Du magst sie nicht wirklich?«

»Ich mag sie. Ich meine, im Sommer, das war nett. Es ist nur ... sie hat einfach beschlossen, dass wir zusammen sind. Sie hat nicht abgewartet, dass sich alles irgendwie ergibt.«

»Das ist es also, oder? Dass sie unbedingt ...«

»Nein, das ist es nicht. Ehrlich gesagt.«

»Ach so. Was dann?«

Ich bog in unsere Siedlung. Windermeyer Terrace, so hieß sie. Ihr Haus kam als erstes. Ich fuhr an den Bordstein vor ihrem Haus.

»Ach, bloß so 'n paar Sachen, die passiert sind«, sagte ich.

»Was denn?«, fragte sie und schaute mich an. Sie meinte es ernst. Sie wollte es wissen.

»Einfach so 'n paar Sachen«, sagte ich leise. »Ich kann darüber nicht reden.«

Etwas in meiner Stimme brachte sie zum Schweigen. Jetzt bekam sie die ganze Last zu spüren. Das Gewicht erschreckte sie.

Sie blinzelte und starrte aufs Armaturenbrett. »Oh«, sagte sie. »Dann muss es ganz schön schlimm sein.«

»Na ja, was eben so passiert.«

Dann blickte sie mich an. »Kann ich dir irgendwie helfen?«

»Mir geht's schon viel besser«, brachte ich heraus. »Einfach, weil ich überhaupt was gesagt hab.«

»Scheint ja echt schlimm zu sein.«

»Wahrscheinlich nicht, was du denkst«, sagte ich. Aber dann gingen in meinem Kopf die Alarmsirenen an. Mehr durfte ich nicht verraten. Ich hatte schon viel zu viel gesagt. »Das ist echt blöde«, log ich. »Ich meine, du weißt doch, wie das ist. Manchmal haut einen schon das kleinste bisschen um.« Ich blickte aus meinem Seitenfenster. »Es ist wirklich weiter nichts.«

Macy sagte kein Wort.

»Ich muss los«, sagte ich. »Meine Mom braucht ihr Auto.«

Macy machte die Tür auf und stieg aus. Ich fuhr los und bog auf unsere Auffahrt, sechs Häuser weiter.

Zwei Tage später, als ich Mathe hatte, kam eine Ansage über den Lautsprecher.

»Die folgenden Schüler bitte zum Schulleiter kommen …«, sagte die Stimme. Ich gehörte dazu. Die anderen waren Jared Fitch, Christian Barlow, Paul Auster und noch ein paar Skater.

Ich stand auf und ging nach vorne. Alle guckten: Boah, die coolen Skater müssen zum Schulleiter.

Mir war nicht sehr cool zumute. Ich hatte eine Scheißangst. Meine Beine fühlten sich an, als würden sie jeden Moment wegknicken.

Als ich durch den leeren Flur ging, versuchte ich, einen klaren Kopf zu kriegen. Hinter mir kam Christian aus dem Biologieraum. Ich wartete auf ihn. Es beruhigte mich, ihn zu sehen. Er war einer der beliebtesten Jungen der Schule. Ihm konnte nichts passieren.

»Was soll das?«, fragte er, als er mich sah.

»Keine Ahnung.«

»Wahrscheinlich hat sich wieder jemand beschwert, dass wir hinter der Cafeteria skaten«, sagte er.

Schweigend gingen wir zum Büro des Schulleiters. Ein anderer Skater tauchte auf, Kal (für »Kalifornien«), er war auch aufgerufen worden. Er war ganz nervös. Er kam nicht gut klar mit Lehrern oder mit Autorität, eigentlich mit gar nichts.

Wir gingen ins Büro. Mrs. Adams wirkte kribbelig. Das ganze Sekretariat stand irgendwie unter Spannung. Das war kein gutes Zeichen. Dann kam Jared und nach und nach trudelten auch die anderen ein. Paul Auster kaute Kaugummi und sollte ihn ausspucken, was zu einem Streit mit Mrs. Adams führte. Aber es war zu spüren, dass es um etwas Wichtigeres ging als Kaugummikauen oder hinter der Cafeteria skaten.

Als alle sieben da waren, führte uns Mrs. Adams hinter dem Empfangstisch den kleinen Flur hinunter. Wir gingen am Büro des Schulleiters vorbei und kamen in einen kleinen Konferenzraum, in dem bis dahin noch keiner von uns gewesen war. Innen stand neben einem runden Tisch ein Mann. Er lächelte uns freundlich an. Er trug eine Sportjacke und Freizeithosen, hatte dichtes, schwarzes Haar, einen feisten Nacken und einen dicken Kopf. Vor ihm lagen eine Aktentasche und ein kleiner Laptop, so einer, wie Reporter ihn benutzen. In dem Gesicht des Mannes aber, da war etwas Hartes, etwas, das mich bis in die Zehenspitzen erschauern ließ.

Als wir alle im Raum waren, bat er uns, am Tisch Platz zu nehmen. Jeder fand einen Stuhl und setzte sich.

Mrs. Adams sagte zu ihm, er könne uns so lange dabehalten, wie er wolle. Er lächelte und dankte ihr.

Er schloss die Tür und stellte sich vor. Er war Kriminalkommissar und hieß Matthew Brady. Wir durften Matt zu ihm sagen. Er war hier, weil er einen Mord untersuchte, der im Zentrum der Stadt, in der Nähe eines Skaterparks, verübt worden war. Die Polizei wollte Kontakte zur Skaterszene herstellen, um so vielleicht zu einer Lösung des Falles zu kommen. Er besuchte verschiedene Oberschulen in der Umgebung, um mit Skatern zu reden in der Hoffnung, dass die ihm weiterhelfen könnten.

Ich verzog keine Miene. Ich machte gar nichts. Es war leicht, zwischen den anderen zu sitzen und nichts zu tun. Paul Auster sah aus, als hätte er ein schlechtes Gewissen. Kal auch. Kal wurde rot.

»Also, dann stellt euch mal vor, der Reihe nach.«

Das taten wir. Jeder sagte seinen Namen. Alle hatten Schiss, das sah man an ihren Gesichtern, hörte man an ihren Stimmen.

»Was werfen Sie uns denn eigentlich vor?«, fragte Paul aus heiterem Himmel.

»Nichts«, sagte der Kommissar Brady. »Überhaupt nichts. Niemand von euch wird verdächtigt. Es geht uns nur darum, die Skaterszene ein bisschen besser zu verstehen.«

»Das ist keine Szene«, sagte Paul ärgerlich. »Wir kennen uns überhaupt nicht alle.«

Mich schockierte, dass er so mit einem Polizisten redete. Da machte er sich doch gleich verdächtig.

»Ja, das weiß ich«, sagte Brady. »Also, ich sag euch mal, worum es geht. Wir haben es möglicherweise mit einem Mord zu tun. Der Tote wurde kurz vor dem Rangierbahnhof auf den Eisenbahngleisen gefunden. Der Zug, der mit dem Vorfall zu tun hatte, ist kurz davor am Eastside Skatepark vorbeigefahren.«

»*Paranoid Park*«, sagte Paul. »Niemand sagt Eastside Park.«

»Genau«, sagte der Kommissar. »Wir meinen, wenn es ein Mord war, dann könnte es sein, dass einer vom Paranoid Park was damit zu tun hat. Der Paranoid Park ist ein ziemlich spezieller Ort. Da halten sich sehr unterschiedliche junge Leute auf, darunter auch welche, die nur sehr schwer zu lokalisieren sind. Deshalb reden wir mit Skatern wie euch, weil wir besser verstehen wollen, was da läuft.«

»Sie wollen Namen«, sagte Paul Auster.

Ich konnte es nicht fassen, dass er das gesagt hatte. Christian Barlow auch nicht, der zischte: »Alter, das hat er doch gar nicht gesagt, jetzt komm mal runter, eh.«

»Na ja«, sagte Brady, »kann schon sein, dass ich irgendwann Namen hören will. Aber erst mal brauche ich ein paar Hintergrundinformationen ... Also, wer von euch war schon mal im Eastside – ich meine, im *Paranoid* Park?«

Erst hatte ich Angst, die Hand zu heben. Aber um mich herum gingen lauter Hände hoch. Schließlich auch meine, langsam, vorsichtig.

»Super«, sagte Brady. »Ihr alle. Genau das hatte ich gehofft.«

Es war wie im Unterricht, wie in einer kleinen Gruppe im Prüfungskurs, wo alle was sagen müssen und der Lehrer erwartet, dass man eine Meinung äußert. Ich vermutete, der Kommissar machte das mit Absicht.

Für mich war es eigentlich ganz einfach. Ich skatete weniger als die anderen im Raum, deshalb war es ganz normal, dass ich still blieb. Ich saß da, merkwürdig ruhig, und hörte zu, wie die anderen Typen von den verschiedenen Skateparks berichteten, den Unterschied zwischen »Straßenkids« und »Stinos« erklärten und so weiter. Ich bemühte mich, hin und wieder was zu sagen. Ich wollte jemandem zustimmen, wurde aber gleich unterbrochen. Irgendwie gelang es mir, meine »Rolle« auch zu glauben: Ich spielte den ahnungslosen Typen, der gerne helfen wollte, aber nicht viel wusste. Da war es völlig normal, dass ich überwiegend zuhörte.

Dann wurde Kommissar Brady präziser. War jemand von uns am Wochenende des sechzehnten und siebzehnten Septembers im Paranoid Park?

Jetzt gingen keine Hände hoch. Ich blickte zu Jared rüber. Er hob zögernd die Hand.

»Ja, Jared?«

»Wir ...« Er zeigte über den Tisch zu mir. »Wir beide, wir sind ein oder zwei Wochen vorher da gewesen. Tagsüber.«

»An welchem Tag?«

»Das weiß ich nicht mehr. Kann sein, Dienstag«, sagte Jared. Er hatte jetzt ein bisschen Schiss. Das konnte ich an seiner Stimme hören. »Und an dem Wochenende wollten wir eigentlich auch hin, aber dann waren wir doch nicht da.«

»Warum denn nicht?«, fragte der Kommissar. Plötzlich hatte er mich im Visier. Er wollte, dass ich was sagte.

»Äh ...«, stotterte ich. »Na ja, wir ... Jared wollte zum Oregon State College.«

»Und da warst du dann auch?«

»Ja«, sagte Jared. »Alleine. Er ist hiergeblieben.«

»Dann bist *du* zum Paranoid Park gegangen?«, fragte der Kommissar und wandte sich wieder an mich.

Ich spürte, wie ich rot wurde. »Nein ...«, sagte ich. »Ich ... alleine wollte ich nicht.«

»Was hast du stattdessen gemacht?«

»Ich ... ich bin eine Weile rumgefahren. Und dann bin ich nach Hause ...«

»Keiner geht alleine zum Paranoid Park«, unterbrach Kal. »Da ist es ganz schön gefährlich.«

»Ich geh alleine hin«, sagte Paul herausfordernd. »Stress kriegst du nur, wenn du selber Stress machst.«

»Ich meine ja nur«, stammelte Kal. »Der Park hat einen schlechten Ruf.«

»Warst *du* denn an dem Wochenende dort?«, fragte der Kommissar Paul.

»Nee«, antwortete Paul. »Aber ich geh da hin. Ich hab keine Angst.«

»Ist in der Woche sonst noch einer von euch da gewesen?«

Keiner.

Kommissar Brady schrieb sich das auf.

Wir redeten noch ein bisschen über andere Orte, wo man skaten konnte, wo mehr Straßenkids fuhren, wo mehr Oberstufenschüler.

Nach ungefähr vierzig Minuten guckte Brady auf seine Uhr. Er musste noch zu einer anderen Schule. Er beendete das Gespräch, gab uns allen seine Visitenkarte und sagte, wenn wir irgendwas erfahren würden, sollten wir ihn anrufen.

»Skater haben in dieser Stadt einen schlechten Ruf«, sagte er. »Wenn ihr Jungs uns helft, könnt ihr das ändern.«

Keiner reagierte darauf besonders begeistert. Aber Brady hatte Verständnis. Er klappte seine Aktentasche zu und verschloss sie.

Das Gespräch war zu Ende.

Sobald wir aus dem Büro waren, gingen wir aufs Klo, alle sieben. Es hätte sowieso jeden Moment geklingelt und unsere Lehrer erwarteten uns nicht zurück.

Wir verteilten uns im Raum. Jared saß in einem Waschbecken, Christian lehnte sich ans Fensterbrett, Paul Auster hockte auf der Heizung neben der Tür.

»Was hat der Typ bloß?«, fragte Kal. »Wie kommt der darauf, dass wir was wissen?«

»Wovon redet der überhaupt?«, fragte Christian. »Ich habe gar nichts gehört von einem Mord.«

»Ich habe noch nie gesehen, dass ein Bulle eine ganze Gruppe verhört«, sagte Paul Auster.

»Das wahr echt krass«, sagte ich.

»Warum machen sie den Paranoid Park nicht dicht?«, fragte Kal. »Da ist es doch voll gruselig.«

»Weil's der beste Skatepark an der Westküste ist«, sagte Jared.

Danach schwiegen alle eine Weile.

»Aber jetzt werden sie ihn wahrscheinlich zumachen. Und nach Portland kommen keine guten Skater mehr.«

»Wie kommst du darauf, dass Paranoid der beste Skatepark ist?«, fragte Kal.

»Jeder Idiot weiß das«, antwortete Jared mit Nachdruck. »Das steht sogar in allen großen Skater-Magazinen. Glaubst du, Skate City wurde schon mal im *Thrasher* erwähnt?«

»Im Paranoid Park gibt's sogar Bräute«, fügte Paul hinzu.

»Genau, Straßenweiber«, sagte Christian. »Mit Straßenkrankheiten.«

»Hey, wenn du ein Kondom nimmst, ist das egal.«

»Außer bei Sackratten.«

»Oder bei Krätze.«

»Oder bei Läusen.«

»Alter, Sackratten *sind* Läuse.«

Während die anderen redeten, wandte sich Jared an mich. »Also warst du an dem Abend nicht dort?«

»Nein«, sagte ich und schüttelte den Kopf.

»Und du bist nach Hause gegangen? Ich dachte, du wärst bei mir gewesen.«

»War ich auch ... aber das habe ich doch gemeint. Ich bin zu dir nach Hause gefahren.«

Jared akzeptierte meine Erklärung. »Trotzdem ganz schön irre. Beinahe wären wir an dem Abend auch da gewesen.«

»Klar, aber das war doch nicht im Paranoid Park. Das war an irgendeinem Bahnhof. Was weiß ich, eine halbe Meile weg oder so.«

»Hä?«, sagte Jared. »Woher weißt du denn das?«

»Hat der Mann doch gerade gesagt.«

»Als der Skinhead abgestochen wurde«, erklärte Paul Auster, »sollen seine Freunde den Typen gejagt und umgebracht und in den Fluss geschmissen haben.«

»Das ist doch blöde«, sagte Kal. »Der taucht doch wieder auf.«

»Nicht, wenn du ihm Ketten und Beton an die Knöchel hängst.«

»Klar, aber irgendwann vergammeln die Knöchel und dann kommt der Rest nach oben.«

»Oder wenn sie den Fluss durchkämmen.«

»Oder Netze durchziehen oder so«, sagte Kal. »Mein Bruder kannte einen, der früher so was gemacht hat. Die haben Autos und Kühlschränke und solche Sachen rausgeholt. Einmal haben sie sogar ein Bein gefunden, hat er gesagt.«

»Jetzt habe ich echt Bock, den Paranoid Park zu checken«, sagte Paul. »Mal sehen, was da läuft. Ob die alle am Flippen sind?«

»Wahrscheinlich ist da alles voller Bullen.«

»Vielleicht auch nicht«, sagte Jared. »Ihr habt doch den Typen gesehen. Scheint so, als würden die 'ne andere Masche durchziehen. Psychologische Tricks und so.«

»Genau, dieser ganze Scheiß von wegen ›wir wollen eure Szene besser verstehen‹. Für wie blöd halten die uns eigentlich?«

»Genau. Als ob Bullen Skatern übern Weg trauen. *Wir wollen euch helfen, einen besseren Ruf zu bekommen.* Klar machen die das!«

»Genau. So wie damals, als die Bullen ohne Grund die Typen auf der Selbstmörder-Treppe zusammengeschlagen haben. War das eine Hilfe?«

Alle lachten. Paul Auster stopfte sich Kaugummi in den Mund. »Scheiß Bullen.«

Als ich am Abend nach Hause kam, war meine Tante Sally bei uns in der Küche. »Deine Mutter übernachtet heute bei deiner Großmutter«, sagte sie. »Es geht ihr nicht gut, sie ist ganz durcheinander.«

Ich sah nicht ein, warum deswegen Tante Sally da sein musste. Wir waren schließlich nicht völlig hilflos. Immerhin hat sie uns Brownies gebacken. Das macht meine Tante Sally immer, wenn's Stress gibt.

Henry hatte sich ins Wohnzimmer gefläzt, vor den großen Fernseher. Ich ging nach oben, um die Nachrichten anzugucken. Ich guckte jetzt immer die Lokalnachrichten um halb sechs, die waren am ausführlichsten.

Ich machte die Tür vom Fernsehzimmer zu. Ich stellte den Fernseher an und den Ton leise. Die Story des Tages drehte sich um den Trainer der Trail Blazers. Dem ging's an den Kragen. Er hatte seinen Spielern geholfen, im College zu schummeln, und außerdem hatte er in Bezug auf irgendwelche Geschäfte gelogen. Also wurde er rausgeworfen. Er wurde auf einer Pressekonferenz gezeigt, wo er Lügen über seine Lügen erzählte.

Dann ging es um den Mordfall. Sie hatten sich eine neue Grafik ausgedacht. Statt der Schienen war neben dem Kopf der Sprecherin jetzt ein kleines Skateboard zu sehen. Darunter stand: »Mordfall Paranoid Park«. Ich kroch dichter an den Fernseher ran und stellte den Ton etwas lauter.

»… Die örtliche Polizei konzentriert ihre Ermittlungen im Moment auf den inoffiziellen Skatepark unter der Eastside-Brücke, der in einschlägigen Kreisen Paranoid Park genannt wird. Der illegale Skatepark ist etwa eine Viertelmeile von der Stelle entfernt, wo die Leiche gefunden wurde. Die Polizei sagt, in dieser Gegend habe sich eine Gruppe jugendlicher Obdachloser herumgetrieben …«

Sie hatten Bilder vom Paranoid Park. Ein Typ mit nacktem Oberkörper machte für die Kamera einen Frontside Grind.

»Die Polizei befragt weiterhin Jugendliche, die sich hier aufhalten, sowie Jugendliche aus der Umgebung …«

Es folgten ein paar Bilder von einer Studentin, die offensichtlich noch nie zuvor auf einem Skateboard gestanden hatte. Sie trug ein Batikhemd und einen Nasenring. Wahrscheinlich ging sie aufs Reed College. »Der Eastside Skatepark gehört zu unserer Gemeinde«, sagte sie. »Er fügt sich organisch in seine Umgebung ein, und wir müssen anerkennen, dass …«

Die Sprecherin fügte hinzu, die Polizei gehe immer noch davon aus, dass es Mord gewesen sein könnte.

Dann kam das Wetter. Ich schaltete den Fernseher aus und ging in mein Zimmer. Ich musste Hausaufgaben machen. In den letzten Wochen hatte ich überhaupt nichts für die Schule getan. Ich konnte mir nicht erlauben, dass meine Noten total in den Keller rutschten; das könnte Verdacht erregen.

Aber ich konnte keine Hausaufgaben machen. Ich schlug das Buch auf und starrte hinein, doch mein Hirn machte nicht mit. Also legte ich mich aufs Bett und holte die Visitenkarte aus der Tasche, die Brady allen gegeben hatte.

KRIMINALKOMMISSAR MATTHEW BRADY
POLIZEI PORTLAND
MORDKOMMISSION

Am unteren Rand stand eine Telefonnummer und die Adresse einer Website und eine Nummer für anonyme Hinweise. Ich überlegte, ob Jared mich anzeigen würde, wenn er es wüsste. Ich überlegte, ob Schramme mich anzeigen würde. Vielleicht gab es eine Belohnung? Würde jemand wie Schramme mich für ein paar hundert Dollar verraten? Wahrscheinlich. Aber das spielte keine Rolle. Am Ende würden sie mich doch kriegen. Oder auch nicht. Es gab so viele Zufälle. Im Internet hatte ich gelesen, dass nur ein Drittel aller Mordfälle je aufgeklärt wird. Und das hier war ja gar nicht unbedingt ein Mord. Es war immer noch möglich, dass es nur ein Unfall war.

Ein paar Tage später war Kommissar Brady noch einmal in unserer Schule. Mrs. Adams hatte Jared Fitch über Lautsprecher ins Büro des Schulleiters gerufen. Ich wusste sofort, dass es wegen Brady war. Durch das Fenster des Naturkunderaumes konnte ich einen Teil des Personalparkplatzes überblicken. Ein Funkwagen stand da nicht. Wahrscheinlich hatte Kommissar Brady gar keinen, wahrscheinlich hatte er ein ziviles Fahrzeug. Trotzdem wusste ich, dass er da war.

Ich saß im Unterricht. Ich spürte den Druck, den die Anwesenheit Kommissar Bradys auf dem Schulgelände ausübte. Würde er uns jetzt einzeln aufrufen? Wahrscheinlich. Erwachsene lieben die Eins-zu-eins-Konfrontation. Vielleicht brauchte er bloß ein paar Informationen. Das war sinnvoll. Wer wusste schon mehr über den Paranoid Park als die Skater? Oder sie hatten Schramme geschnappt, und der hatte gestanden, dass der Mörder ein Stino war, ein netter Junge aus der Vorstadt. Und jetzt waren sie dabei, diese Person einzukreisen.

Ich starrte aus dem Fenster. Ich stellte mir vor, wie ich aufs Polizeirevier fuhr, die Hände mit Handschellen auf dem Rücken. Das wäre schon in Ordnung. Wirklich. Ich war geliefert. Es hatte keinen Sinn mehr. Mein Leben war so was von Scheiße, da konnte ich genauso gut auch geschnappt werden.

Bei dem Gedanken musste ich lächeln. Ich fing fast an zu lachen. Vor einer Woche hatte ich so viel Schiss, dass ich mir fast in die Hosen gemacht hätte. Und jetzt, da ein paar Türen weiter ein Kommissar der Mordkommission saß, dachte ich: *Was mag es heute zu Mittag geben? Ob Dustin sein Brett gefällt? Wie viele Jahre Knast werde ich wohl kriegen?* Das ging mir so was von am Arsch vorbei, Alter. Es war mir egal. Ich hatte genug von der ewigen Angst. Was immer geschah, geschah. *Mach schon, Brady*, dachte ich. *Zieh's durch.*

Es klingelte. Ich ging zu Jareds Schrank, um zu hören, was war. Jared war nicht da. Auf dem Flur traf ich Kal. Er packte meinen Arm. »Ist dieser Kommissar hier? Will der uns alle verhören?«

»Woher soll ich das wissen?«, sagte ich.

»Mann, ich hasse so was.«

»Kann dir doch egal sein. Du hast doch gar nichts gemacht.«

»Ich weiß«, sagte er. »Aber ich hasse die Bullen.«

»Wann hast du denn schon mal mit Bullen zu tun gehabt?«

»Egal. Du weißt doch, was ich meine.«

Ich ließ ihn stehen. Ich ging zum Unterricht. Und dann, als ich auf halbem Weg zum Klassenraum war, kam eine neue Durchsage. Diesmal war ich dran. Mein Name. Mein Name und sonst keiner.

Ich sollte zum Büro des Schulleiters kommen. Sofort.

Ich ging langsam und ruhig den leeren Flur entlang. Irgendwie war ich stolz auf mich. Ich hatte die Sache im Griff. Ich kam damit klar.

Im Kopf übte ich meine Story. Eigentlich hatten wir zum Paranoid Park gewollt, dann ist Jared ausgestiegen, weil er zu dem Mädchen und der Party im Oregon State College wollte, und ich fuhr in der Stadt rum. Die Nacht verbrachte ich in Jareds Haus. Am nächsten Morgen ging ich nach Hause.

Das war meine Story und dabei würde ich bleiben. Wenn sie mich verhafteten, verhafteten sie mich.

Ich ging ins Büro. Mrs. Adams führte mich hinter den Empfangstisch, durch den Flur und in denselben Raum, in dem wir schon einmal gewesen waren.

Kommissar Brady las in irgendwelchen Papieren, machte sich Notizen. Er trank aus einem Dunkin' Donuts Kaffeebecher. Er sah müde aus. Ich überlegte, wie alt er sein mochte. Dreißig? Fünfunddreißig? Ich bemerkte auch, dass er einen Haarschnitt wie ein Landarbeiter hatte – keine Koteletten, oben zu kurz. Wahrscheinlich kam er selber von der Eastside.

»Hallo«, sagte er.

»Hi.«

»Nimm Platz.«

Das tat ich. Er sagte, er wolle sich mit jedem einzeln unterhalten. Er wolle sichergehen, dass er alles für seine Unterlagen habe. Er ging noch mal mein Blatt durch, überprüfte meinen Namen, meine Adresse, mein Alter. Alles war richtig.

»Tut mir leid, dass ich dich aus dem Unterricht geholt habe.«

»Kein Problem«, sagte ich.

»Gut. Also. Ich habe mit Jared gesprochen, und der meint, du wärst beinahe zum Eastside Skatepark gegangen am Abend des siebzehnten. Stimmt das?«

»Ja«, sagte ich. Plötzlich hatte ich ein trockenes Gefühl in der Kehle. Ich dachte daran, wie aufgeregt Kal gewesen war. Selbst jemand, der völlig unschuldig war, wurde nervös, wenn er mit einem Kommissar von der Mordkommission sprach. Also war alles in Ordnung. Ich war ein bisschen nervös, aber das war normal.

»Also – du bist rumgefahren?«

»Ja. Ich ... na ja, wir waren ja schon einmal da gewesen und ich ... na ja, ich fand es schon cool und alles, aber auch ganz schön krass. Ich bin kein so guter Skater, deswegen wollte ich nicht alleine dorthin.«

»Bist du an dem Abend dort vorbeigefahren?«

»Nein.«

»Wo warst du?«

»An dem Abend? Ich ... bin rumgefahren, ein bisschen

in der Stadt. Und da ich sowieso schon da war, habe ich mir was zu essen geholt. Und dann ... dann habe ich in der Nähe vom Wasser geparkt. Und bin ein bisschen rumgelaufen.«

»Mit dem Skateboard?«

»Genau. Nein, Moment mal, nein, an dem Abend eigentlich nicht. Ich meine, ich hatte kein Skateboard. Wie gesagt, ich bin nicht so gut wie die anderen Jungs. Also übe ich lieber alleine.«

Kommissar Brady nickte. »Kannst du mir ein paar Zeitangaben machen? So ungefähr?«

»Äh ... ich bin gegen sieben oder acht zu Jared gefahren. Ein bisschen später sind wir zum Busbahnhof. Und dann bin ich rumgefahren. Und dann ... ach, ja ... das habe ich letztes Mal durcheinandergebracht. Ich bin nicht nach Hause gefahren. Ich bin zu Jared. Weil wir ja bei ihm übernachten wollten.«

»Wo waren seine Eltern?«

»Seine Mutter war in Las Vegas. Sein Vater wohnt woanders.«

»Keine Geschwister? Es war niemand im Haus?«

»Genau«, sagte ich. »Seine Schwester lebt in Seattle.« Ich schluckte trocken.

»Und wussten deine Eltern das? Dass bei Jared niemand zu Hause war?«

»Äh ...«

Brady machte sich eine Notiz. »Also, die alte Masche, du sagst deinen Eltern, du übernachtest bei Jared, und deine Eltern wissen nicht, dass seine Eltern weg sind, und dann kannst du machen, was du willst.«

»Äh … na ja.«

»Ich versteh schon«, sagte er und lächelte ein wenig. »Das haben wir früher auch gemacht. Eine alte Masche.«

»Genau.«

Brady betrachtete mich. »Und wie ist bei dir die häusliche Situation?«

»Äh … was meinen Sie?«

»Deine Eltern, leben die zusammen?«

»Nein. Sie sind getrennt. Oder sie … na ja, sie werden sich wahrscheinlich scheiden lassen.«

Kommissar Brady nickte. Sein Gesicht bekam einen nachdenklichen Ausdruck. »Meine Eltern haben sich scheiden lassen. Da war ich genauso alt wie du. Ist ganz schön hart.«

»Genau«, sagte ich.

»Hast du Geschwister?«

»Einen Bruder. Der ist jünger. Dreizehn.«

»Hast du eine Schwester?«

»Nein.«

»Und – hast du eine Freundin?«

»Äh … na ja, so was in der Art.«

»Wo war sie in der Nacht?«

»Mit ihren Freundinnen unterwegs.«

»Hast du sie in der Nacht angerufen? Hast du ein Handy?«

»Nein, ich habe sie nicht angerufen. Das mit uns ist noch nicht lange.«

»Also war sie vor ein paar Wochen noch nicht deine Freundin?«

»Genau. Ich meine, da waren wir noch nicht richtig zusammen. Jetzt ist sie mehr meine Freundin.«

»Und wie ist das?«

»Was?«

»Mit einer Freundin.«

Ich zuckte die Achseln. »Na, gut, denke ich.«

»Du klingst unsicher«, sagte Kommissar Brady und lächelte ein wenig.

»Nein, ist schon in Ordnung. Sie ist irgendwie ... ich weiß nicht. Es geht ja gerade erst los. Wir sind noch nicht richtig fest zusammen.«

»Ach so.«

»Aber ist schon in Ordnung. Ich meine, sie ist nett.«

Kommissar Brady lächelte und nickte. Er pochte mit der Spitze seines Kugelschreibers auf das Papier vor sich. »Also, jetzt wollen wir uns mal wieder dieser ...«, sagte er. »Ich versuche mir die Situation vorzustellen. Der Wachmann. Wir finden ihn tot auf den Gleisen. Wir denken, na gut, er ist gestolpert, gefallen. Aber dann hat die Autopsie ergeben, dass er mit einem stumpfen Gegenstand geschlagen wurde.«

Ich nickte.

»Mein Chef denkt sich, dass vielleicht Jugendliche auf dem Zug waren, einfach so aus Spaß, was offenbar oft vorkommt. Sie fahren da lang, der Wachmann sieht sie und versucht, sie vom Zug zu holen. Es gibt eine Auseinandersetzung, vielleicht einen Kampf, am Ende ist der Mann tot und die Jugendlichen laufen weg.«

Ich versuchte, meinem Gesicht einen leicht verwirrten Ausdruck zu geben.

»Also überlege ich mir«, fuhr Brady fort, »was machen die Jugendlichen dann? Wo gehen sie hin? Was für Jugendliche sind das?«

Ich schluckte. »Genau. Das ist eine gute Frage.«

»Was hättest du getan? Wenn du dabei gewesen wärst?«

»Ich … ich weiß nicht. Die Polizei anrufen?«

»Und wenn die anderen nun deine Freunde gewesen wären? Würdest du deinen Freunden die Polizei auf den Hals hetzen?«

»Also, wenn einer umgebracht wurde, schon. Oder wenn es ein Unfall war oder so was.«

Kommissar Brady dachte über meine Antwort nach. »Aber wenn du allein gewesen wärst? Wenn so was passiert, und du bist ganz alleine?«

Ich blickte auf meinen Schoß. »Dann würde ich auf alle Fälle die Polizei rufen. Warum denn nicht? Außer, der Mann wurde mit Absicht umgebracht. Also, ich persönlich, ich habe nichts gegen Wachmänner.«

»Gut. Aber was hättest du getan, wenn du nicht die Polizei gerufen hättest?«, sagte Brady mit frischer Kraft in der Stimme. »Sagen wir, du hättest Angst bekommen und wüsstest nicht, was du tun sollst?«

Ich schaute zu ihm hoch, weil ich dachte, er guckt mich an, so richtig scharf, kurz vor dem Zuschlagen. Aber nein. Er blickte auf den Kugelschreiber in seiner Hand. Er war tief in Gedanken.

»Kann ich nicht sagen.«

»Wahrscheinlich würdest du wegrennen«, sagte Kommissar Brady. »Und du würdest zurück in den Skatepark gehen und es deinen Freunden erzählen. Oder, wenn du schlau wärst, würdest du nicht zum Skatepark gehen, sondern Richtung Fluss und hoffen, dass dich niemand gesehen hat.«

»Ja – könnte sein.«

»Diese Jugendlichen«, fuhr Brady fort, »haben wahrscheinlich keinen festen Wohnsitz. Sind von zu Hause abgehauen. Wahrscheinlich haben sie schon allerhand Dreck am Stecken. Ich an ihrer Stelle würde auf den nächsten Zug springen und die Stadt verlassen. Den Staat. Oder sogar das Land …«

Ich schluckte. »Ich habe gehört, dass da mal jemand abgestochen wurde«, sagte ich.

»Kennst du solche Jugendliche? Ich meine, persönlich?«

»Nein«, sagte ich. »Ich meine, ich habe sie schon gesehen, solche Straßenkids. Es gibt welche, die skaten. Die meisten betteln um Kleingeld und so was.«

»Wenn ich dir Fotos zeige, würdest du Leute erkennen, die du in der Gegend gesehen hast?«

Ich zuckte vorsichtig die Achseln. »Ich glaub nicht. Ich kenne echt keinen von denen.«

Darüber dachte Brady eine ganze Weile lang nach. Dann guckte er auf die Uhr. »Also gut«, sagte er. »Ich muss Schluss machen.«

Ich sagte nichts.

Er packte seine Aktentasche und holte noch eine Visitenkarte raus. Als er sie mir gab, schaute ich mir seine Hände an. Sie waren groß und breit, ziemlich fleischig. Er hatte einen dicken Ring angesteckt, wie ein Autoverkäufer im Film.

Ich bemühte mich, möglichst brav und verwirrt auszusehen. »Kann ich jetzt zurück zum Unterricht?«

»Klar. Hey, und vielen Dank. Ich bin dir wirklich dankbar.« Er beugte sich über den Tisch und reichte mir seine fleischige Hand. Ich schüttelte sie.

Dann machte ich, dass ich da rauskam.

SEASIDE, ORGEON

7. JANUAR 15 UHR 30

Liebe …!

Jennifer habe ich in der Zeit nicht oft gesehen. Sie machte Cheerleader für Basketball, deshalb übte sie jeden Tag nach der Schule. Am Samstag wollte Elizabeth mit ihren Freundinnen Schlittschuhlaufen gehen, und Jennifer wollte, dass ich mitkomme.

Es war ein Haufen Leute. Christian war da und noch ein paar andere Freunde. Wir saßen alle zusammen an einem Picknicktisch und tranken heißen Kakao und Christian erzählte den Mädchen von unserem Verhör bei Kommissar Brady. Es war verrückt, weil er die Geschichte erzählte, als wäre ich gar nicht dabei gewesen. Alle quatschten über die Sache, die *ich* gemacht hatte, über die Situation, die *ich* herbeigeführt hatte, aber da Christian der Star war, konnte sich niemand vorstellen, dass ich irgendwas damit zu tun haben könnte. Sie wollten nur ihn hören. Selbst als er allen erzählte, auch ich sei befragt worden, war das den Mädchen scheißegal, sie wollten nur noch mehr von ihm hören. Was mir recht war. Manchmal ist es gut, ein Mauerblümchen zu sein.

Nach dem Schlittschuhlaufen gingen wir alle zu Elizabeth Gould nach Hause. Die haben einen Whirlpool und wir zogen uns bis auf die Unterwäsche aus und setzten uns rein und guckten in die Sterne.

Alle waren gut drauf, nur ich musste an Kommissar Brady denken. Als wir uns anzogen, fragte ich Christian: »Glaubst du, Brady weiß mehr, als er uns sagt?«

»Zum Beispiel?«

»Zum Beispiel, er weiß was und stellt sich dumm. Um uns reinzulegen.«

»Kann ich mir nicht vorstellen.«

»Das Ganze ist doch echt abgefahren«, sagte ich. »Ein Kommissar, der in die Schule kommt, um mit Skatern zu reden.«

Christian spottete: »Bullen sind blöd. Was glaubst du wohl, warum die Bullen werden? Weißt du, wie viel die verdienen? Ungefähr so viel wie ein Hausmeister.«

»Klar«, sagte ich. »Aber vielleicht machen sie's aus anderen Gründen.«

»Alter, Erwachsene machen alles nur für Geld«, sagte Christian und zog seinen Gürtel fest. »Andere Gründe gibt es nicht.«

Danach ging ich mit zu Jennifer. Sie machte total auf sexy, und wir sind sofort in ihr Zimmer, um es zu machen. Aber ich war nicht bei der Sache.

»Was ist los mit dir?«, fragte sie mich und rutschte weg.

»Nichts.«

»Du bist so … daneben.«

»Wie soll ich denn sein?«

»Weiß nicht. Aber du könntest ja manchmal auch was sagen. Christian und Elizabeth reden. Die haben eine Beziehung.«

Ich starrte sie an. »Was soll denn das heißen?«

»Wenn Christian was sagt, dann sagt er es. Wenn du was sagst, unterbricht dich jemand. Und du lässt es dir gefallen.«

Ich stand auf. »Tut mir leid, wenn ich kein Star bin wie Christian.«

»Ich sage nur, du könntest ein besserer Lover sein«, sagte sie. Dann stand sie auf und steckte ihr Hemd rein.

Ich wusste nicht, was ich sagen sollte. Wahrscheinlich hatte sie recht.

»Du solltest lieber gehen, meine Eltern kommen bald«, sagte sie.

»Kannst du mich nach Hause fahren?«

»Das ist noch so ein Ding«, beklagte sich Jennifer. »Du brauchst ein eigenes Auto. Du kannst nicht immer bloß mit dem Skateboard rumdüsen.«

Aber genau das tat ich. Ich düste auf dem Skateboard nach Hause. Im Regen. Im Dunkeln. Ausgesprochen gerne. Ich war froh, für mich zu sein.

In der Nacht träumte ich von Kommissar Brady. Ich träumte, dass er mit mir und meinem Bruder zusammenlebte.

Es stellte sich heraus, dass er ein Verwandter von uns war. Ich saß mit ihm am Flughafen und er erzählte mir von der Scheidung seiner Eltern – und dass er deswegen Polizist geworden war. Er sagte, alle Polizisten hätten geschiedene Eltern; das war eine Voraussetzung für die Einstellung.

Dann veränderte sich der Traum. Ich war in der Schule und alle Leute gratulierten mir. Ich hatte etwas getan, das alle echt beeindruckt hatte. Ich fühlte mich wohl und akzeptiert, als wäre alles wieder in Ordnung.

Leider wachte ich auf und war zurück in der Realität. Niemand freute sich, und schon gar nicht über mich. Wenigstens war Sonntag. Ich stand auf und ging runter. Ich frühstückte und dann rief Jared an. Ob ich Lust hätte, mit ihm und Paul Auster zu skaten und die neuen Rails im Kongress-Zentrum auszuprobieren? Hatte ich.

Jared holte mich ab. Als ich ins Auto stieg, guckte er mein Brett an. »Das ist nicht dein Brett.«

»Doch, hab ich mir gerade geholt.«

»Warum hast du dir ein neues Brett geholt?«

»Mein Dad hat es mir gekauft«, sagte ich, was irgendwie stimmte. »Ich wollte mal ein anderes probieren.«

Jared guckte es an. »Warum hast du mir nichts davon gesagt?«

»Warum sollte ich?«, sagte ich und nahm ihm das Brett aus der Hand.

»Alter, ich skate mit dir. Ich will nicht jemanden neben mir haben, der so eine Krücke fährt.«

»Das ist keine Krücke. Das ist besser als dein lahmes Teil.«

Wir holten Paul Auster ab. Wir fuhren in die Stadt. Ich fürchtete, sie würden ihre Meinung ändern und zum Paranoid Park wollen. Aber das taten sie nicht. Sie wollten zu den neuen Treppen und Geländern.

Alle waren scharf auf die neuen Rails. Alle Skater aus der Gegend hatten davon gehört, und viele von den besten waren gekommen, um sie auszuprobieren.

Ich konnte Rails weder sliden noch grinden. Keiner von uns dreien konnte das. Jared probierte es immer wieder und brachte sich dabei fast um. Ich hing meistens ab und machte ein paar Triple-Sets am anderen Ende des Platzes, aber nachdem ich ein paar Mal hingeknallt war, ließ ich das auch sein.

Schließlich hockten Paul Auster und ich zusammen, tranken Red Bull und schauten einem Stino zu, der auf dem Bürgersteig Tricks machte. Er war ein dämlicher Typ, aber er konnte Kick-Flips, Manuals, Shove-its, alles. Er war ein Naturtalent. Er hat nicht *versucht*, irgendwas zu machen, er hat's einfach gemacht. Ohne zu überlegen.

Ich trank mein Red Bull und sann darüber nach. Ich hatte vor der Sache mit dem Wachmann auch alles einfach so gemacht. Ich bin aufgewacht, zur Schule gegangen, war mit meinen Freunden zusammen. Nie habe ich darüber nachgedacht, was ich tue oder warum ich es tue. Jetzt war ich immer am Überlegen. Nie tat ich etwas einfach so. Hatte mich immer unter Kontrolle, achtete genau darauf, was ich sagte und tat. Das war, als würde ich jeden Tag zur Arbeit gehen. Es war, als wäre aus meinem Leben ein richtig harter Job geworden.

Aber wodurch war das gekommen? Und wie kriegte ich es wieder weg? Konnte jemand, der so etwas getan hatte wie ich, je wieder unschuldig und sorglos sein?

Ich wusste es nicht. Und es gab niemanden, den ich hätte fragen können.

Am Abend kam meine Mom zurück nach Hause. Tante Sally packte ihre Sachen. Beide waren ziemlich gestresst. Besonders meine Mom. Sie nahm ein paar Schlaftabletten und ging ins Bett.

Henry und ich sahen bis elf Uhr fern und dann ging er schlafen. Ich guckte die Nachrichten. Ich guckte immer die Nachrichten. Ich wusste, was im ganzen Staat passierte, alles. Aber über Paranoid Park kam nichts.

Später ging ich in die Garage. Ich wollte sehen, was mein Dad von den Camping-Sachen mitgenommen hatte. Der kleine Kocher war weg, klar. Aber der große Kocher war noch da. Die Kühlbox war noch da. Ich suchte das Notfunkgerät zum Aufziehen, das meine Mutter Dad zu Weihnachten geschenkt hatte, aber er hatte es wohl mitgenommen.

Ich guckte in die anderen Schränke. Die Schlafsäcke waren noch da – jedenfalls die älteren. Ich fand ein kleines Feldbett, das man zusammenfalten und in einen Tragesack stecken konnte. Ich zog es heraus und versuchte mich daran zu erinnern, wie man es aufbaute. Die Anleitung war verschwunden, aber sobald ich es auseinandergeklappt hatte, wusste ich es wieder.

Ich überlegte, wie es wäre, wenn ich verschwinden müsste. Wenn die Polizei mir auf die Spur kam, könnte ich dann abhauen? Wo sollte ich hin?

Wahrscheinlich könnte ich es bis nach Kanada schaffen. Ich könnte morgens mit dem Auto meiner Mutter losfahren, als würde ich in die Schule gehen, und abends wäre ich dann in Vancouver, B.C.

Und dann? In einem gestohlenen Auto leben? Wie lange würde das gut gehen? Vielleicht sollte ich nach Mexiko. Das war weiter. Zwei Tage mit dem Auto, vielleicht drei. Ich könnte sagen, ich würde bei Jared übernachten. Dann hätte ich einen Tag Vorsprung. Und wenn ich die Nacht durchfuhr, könnte ich es vielleicht schaffen. Aber was würde ich in Mexiko machen? Was würde ich überhaupt machen, egal wo?

Ich faltete das Feldbett zusammen und kramte noch ein bisschen rum. Ich fand eine Überlebensausrüstung mit einem Kompass, Aspirin und wasserdichten Streichhölzern. Ich fand eine kleine Flasche Gegengift für Klapperschlangenbisse. Ich überlegte, wie das wohl wirken mochte.

Vielleicht sollte ich ein paar von Moms Schlaftabletten nehmen. Wenn ich einen Selbstmordversuch machte, würden sie dann gnädiger mit mir sein? Könnte ich behaupten, ich wäre verrückt oder selbstmordgefährdet oder so was?

Ich wühlte noch tiefer im Schrank. Ich fand ein paar Schneeschuhe, die mein Dad gekauft hatte. Vor ein paar Jahren hatte er beschlossen, Schnee-Camping wäre sein Ding. Er hat es nie gemacht, aber den ganzen Scheiß dafür gekauft. Das meiste war nutzlos, nur die Schneeschuhe, die waren irgendwie cool.

Ich stieß auf Angelzeugs, ein paar alte Rollen und Kisten. Ich öffnete eine Kaffeedose und fand ein Gewirr von Haken und Schwimmern und solchen Sachen. Als ich klein war, habe ich immer davon geträumt, in die Berge zu ziehen und von dem zu leben, was es dort gab. Ich glaube, viele Kinder denken sich so was aus. Mit Pfeil und Bogen für die eigene Nahrung sorgen, in einem Baumhaus oder einer Höhle wohnen … Aber wenn ich abhauen würde, wäre es nicht so. Das wäre nicht wie in einem Disney-Film. Abhauen, das wäre ein ödes, schmutziges, grauenvolles Leben. Sich verstecken, im Auto schlafen. Wie sollte ich an Geld kommen? Ich könnte in Restaurants Geschirr spülen. Vielleicht könnte ich irgendwo ein Mädchen kennen lernen, ein kanadisches Mädchen. Ich könnte hinter ihrem Haus wohnen und wir würden heiraten und unsere Namen ändern und … was weiß ich … Gemüse anbauen, Bright Eyes anhören, in Hängematten rumliegen …

Ein schöner Traum. Es gab viele schöne Träume. Aber wäre ich dazu in der Lage? Vielleicht war es besser, einfach ins Gefängnis zu gehen und die Zeit abzusitzen, statt alle Verbindungen abzubrechen. Besser, meine beknackten Eltern wussten, wo ich war, als dass ich irgendwo allein in der kanadischen Wildnis rumirrte, Dreck fraß und langsam durchdrehte …

Das ist das Ding mit Geheimnissen, sie machen einen verrückt. Wirklich wahr. Sie isolieren dich. Sie trennen dich von deinem Stamm. Irgendwann zerstören sie dich.

Es sei denn, man ist stark. Es sei denn, man ist sehr, sehr stark.

Ein paar Tage später traf ich Jennifer nach der Schule auf dem Parkplatz. Sie trug ihre Cheerleader-Uniform. Sie stand mit Elizabeth und den anderen neben Elizabeths Auto.

Vor kurzem hatte mir Jennifer erzählt, dass sie das Wochenende mit Elizabeth Gould und anderen Mädchen im Strandhaus der Goulds verbringen würde. Sie hoffte, ich würde auf ihr »Mädchen-Party-Wochenende« neidisch sein. War ich aber nicht.

Ich ging zu ihnen rüber. Ich hatte mein Skateboard unter dem Arm. Keine schien sich über meinen Anblick zu freuen. Ich war kein guter Lover für Jennifer. Ich war doch nicht der lustige Skater-Junge, wie sie sich das vorgestellt hatten.

»Hey«, sagte ich zu Jennifer. »Kann ich dich mal kurz sprechen?«

Sie warf mir einen bösen Blick zu, ihren Freundinnen zuliebe. Aber sie kam. Sie war wohl doch neugierig.

»Ich kann nicht mehr mit dir zusammen sein«, erklärte ich ihr.

»Was?«, sagte sie. Sie war total geschockt. Sie dachte, ich wollte mich bei ihr beschweren, weil sie das Wochenende am Strand verbracht hatte. »Was meinst du?«

»Ich glaube, es geht einfach nicht«, sagte ich.

»Was? Ist das dein Ernst? Wer hat dir das eingeredet?«

»Niemand.«

Sie blickte mich mit offenem Mund an. Sie war so überrascht, dass sie nicht wusste, was sie sagen sollte. »Du kannst nicht einfach Schluss machen«, platzte sie schließlich heraus. »Wir haben doch gerade erst angefangen.«

»Ich weiß. Es tut mir leid. Aber ich glaube, es geht nicht.«

»Warum hast du bis jetzt gewartet?«, sagte sie. »Wolltest du erst Sex mit mir, ist es deswegen?«

»Nein. Nur ...«

»Genau! Du hast gewartet, bis du Sex mit mir hattest! Du hast mich benutzt!«

»Nein, das stimmt nicht.«

Sie schlug zu. Ein kräftiger Klaps auf meinen Oberarm. Ich machte einen Schritt zurück.

»Ich habe einfach das Gefühl, dass ...« wiederholte ich.

»Ich kann's nicht glauben!«, kreischte sie nun laut, so dass ihre Freundinnen sie hören konnten. »Du glaubst, du kannst mich einfach abservieren? Jetzt, wo wir Sex hatten? Das darfst du nicht!«

Ich stand da und schaute sie an. Die ganze Welt ist ein Traum, begriff ich. Nichts ist wirklich. Alle spielen in irgendeiner blöden Soap. Die ganze Welt ist eine einzige große FOX-Fernsehshow.

»Jennifer?«, fragte eine der Cheerleaderinnen. »Alles in Ordnung?«

Jennifer rannte zu ihren Freundinnen. »Er hat Schluss gemacht!« Sie brach in Tränen aus. Sie rannte zu Elizabeth, die sie in die Arme nahm.

Alle Mädchen starrten mich hasserfüllt an. Es war ein

großes Drama, das zu Ende gespielt werden musste. Aber im tiefsten Innern interessierte es niemanden. Jennifer war den anderen Mädchen egal. Ich war Jennifer egal. Mir war alles egal.

Alle hatten nur Scheiße im Kopf.

Am nächsten Tag wusste es die ganze Schule: Ich hatte Jennifer benutzt und danach Schluss gemacht. Ich machte keine Anstalten, mich zu verteidigen. Wozu auch?

Nach der Schule ging ich zu Christian und den anderen, die hinter der Cafeteria skateten, und sie fragten mich, was los war. Was war mein Plan? Hatte ich eine andere? Warum hatte ich freien Sex einfach aufgegeben?

»Die ist scharf«, sagte Paul. »Ich hoffe, du hast Ersatz.«

»Sie ist mir zu gruppenmäßig«, sagte ich. »Sie und ihre Freundinnen machen aus allem ein Drama.«

Paul hielt mich für verrückt. Christian war es völlig egal. Nur Jared verstand mich. Er hatte zwar Jennifer nie sehr gemocht, mir aber trotzdem zugeraten, weil er der Meinung war, Sex haben sei besser, als keinen Sex haben.

Später fuhr ich mit dem Bus nach Hause. Als ich unsere Straße entlangskatete, sah ich ein fremdes Auto vor unserem Haus stehen. Es war ein marineblaues amerikanisches Auto mit dicken, schwarzen Reifen. Ich fuhr direkt an den Wagen heran und sah – zu spät –, dass es Kommissar Brady war. Er saß auf dem Fahrersitz und schrieb etwas.

»Hallo«, sagte er, als er mich sah.

»Oh, hi«, antwortete ich.

»Hey, ich habe eine Idee. Ich habe eine Stunde Zeit. Ich möchte in die Stadt fahren und mich ... ein bisschen umgucken. Die Straßenkids checken. Kommst du mit?«

»Äh. Lieber nicht ... ich muss Hausaufgaben machen.«

»Wir machen's kurz. Halbe Stunde.«

»Aber meine Mom ...«

»Deine Mom ist nicht zu Hause. Und sie wird nichts dagegen haben. Du hilfst bei einer polizeilichen Ermittlung.«

»Wirklich, ich ...«

»Komm schon, steig ein.«

Ich schien keine Wahl zu haben. Ich stieg ein.

»Wie läuft's in der Schule?«, fragte Brady, nachdem wir ein paar Minuten lang schweigend gefahren waren.

»Okay«, sagte ich. Es gefiel mir nicht, in seinem Auto zu sitzen. Das war mir zu intim. Außerdem war es ziemlich müllig. Überall stapelten sich Papiere und Ordner und vor meinen Füßen lagen Tüten von McDonald's und Kaffeebecher von Dunkin' Donuts.

»Tja, die Schule«, sagte Brady und lächelte vor sich hin. »Damals schien das nichts Besonderes zu sein. Aber wenn ich so zurückdenke – die Partys, die Mädchen, die Football-Spiele ...«

Ich starrte aus dem Fenster. »Ich habe gerade mit meiner Freundin Schluss gemacht«, sagte ich.

»Ach ja? Was ist passiert?«

»Nichts. Ich habe einfach Schluss gemacht.«

»Wieso?«

»Hatte einfach keinen Bock.«

»Aus einem besonderen Grund?«

Ich zuckte die Achseln. »Es stimmte irgendwie nicht. Ich mochte sie nicht wirklich. Sie mochte mich nicht wirklich.«

»Tja. Man kann eben keinem was vormachen. Früher oder später kommt die Wahrheit doch raus.«

Mir gefiel nicht, wie er das sagte. Ich schaute aus dem Fenster, während wir ins Zentrum hineinfuhren. Es war ein seltsames Gefühl, in dem Auto zu sitzen. Es behagte mir nicht, aber andererseits fühlte ich mich irgendwie beschützt. Und es schien, als würde er meine Geschichte glauben, als wäre ich für ihn der unschuldige Junge, der nichts falsch gemacht hatte, der nie im Paranoid Park war außer dem einen Mal, tagsüber, mit Jared.

Und außerdem ... tja ... aus irgendeinem Grund mochte ich diesen Brady. Ich meine, ich hatte Angst vor ihm, das ist ja klar. Aber in seiner Nähe zu sein, erschien mir sicherer, als wenn ich nicht wusste, was er tat oder dachte.

Und noch etwas: Er war anders. Er war ein Bulle. Er hatte vieles gesehen. Er kannte die brutalen Seiten des Lebens. Im Gegensatz zu den meisten Leuten. Die meisten Leute hatten mit solchen Dingen nichts zu tun. Allenfalls mit einer Scheidung, wenn's hoch kam. Aber was war schon eine Scheidung? Gar nichts.

Brady wusste das. Und ich auch.

»Hast du dieses Mädchen schon mal gesehen?«, fragte

Brady. Er gab mir das Foto eines Mädchens. Sie sah mächtig zugedröhnt aus und als würde sie auf der Straße leben.

»Nein«, sagte ich. »Was hat sie gemacht?«

»Nichts. Sie ist abgehauen.«

»Ich habe gedacht, Sie machen nur Mordsachen.«

»Mache ich auch.«

Ich war nicht sicher, was das zu bedeuten hatte, also hielt ich die Klappe. Ich betrachtete die Leute auf der Straße, während wir herumfuhren. Kommissar Brady konnte überallhin, weil er Polizist war. Er fuhr auf die Flusspromenade und auf den Fahrradweg. Wir schoben uns langsam durch die Fahrradfahrer und Jogger. Die Leute reagierten stinkig auf das Auto, bis sie reinguckten und Bradys Gesicht sahen. Dann wandten sie sich ab und kümmerten sich nicht weiter drum.

Am Ende der Promenade, unter der Morrison-Brücke, sahen wir ein paar Skater.

»Ich habe auf einem Skateboard nie was zustande gebracht«, sagte Kommissar Brady und ging vom Gas.

»Gab es früher auch schon Skateboards?«

Er lächelte. »So alt bin ich nun auch wieder nicht.«

Wir rollten langsam an den Skatern vorbei. »Kennst du jemanden von denen?«

»Woher sollte ich die denn kennen?«, fragte ich.

»Von irgendwo«, sagte Kommissar Brady.

Ich schüttelte den Kopf. »Nie gesehen.«

»Also, dieses Mädchen«, sagte Kommissar Brady und wendete den Wagen. »Die, mit der du Schluss gemacht hast. Was wollte die denn?«

Ich starrte aus dem Fenster. »Keine Ahnung. Sie dachte, sie müsste einen Freund haben. Also hat sie sich einen geangelt. Dabei hat sie mich nicht mal gekannt.«

»Das ist wirklich interessant«, sagte Kommissar Brady, »dass Menschen Dinge tun, weil sie denken, es wird von ihnen verlangt. Wir sind überhaupt nicht so unabhängig, wie wir denken. Das lernt man bei der Polizei. Ich würde ja gerne behaupten, wir fassen alle Verbrecher mit unseren brillanten Ermittlungsstrategien, aber in Wirklichkeit kommen die meisten Verbrecher zu uns. Der soziale Instinkt rührt sich – die Schuldgefühle, die machen sie fertig.«

»Aha«, sagte ich beiläufig.

»Es gibt Ausnahmen. Menschen mit dissozialen Persönlichkeitsstörungen. Die haben keine Schuldgefühle. Die spüren das nicht in ihrem Inneren. Oder Jugendliche, Mitglieder von Gangs, die betrachten sich als Soldaten. Das scheint ihnen psychischen Schutz zu geben. Oder sie sind auf einem Egotrip. Sie halten sich für Gott oder stehen in gewisser Weise über allen anderen. Aber das sind die Ausnahmen. Die meisten Mörder haben einen Dachschaden. Die hätten nie ein Verbrechen begangen, wenn sie über irgendeine Form von Selbstkontrolle verfügten.«

Während Kommissar Brady das sagte, lenkte er den Wagen auf einen anderen Fahrradweg. Ich sah auch sofort, warum: Vor uns an einem Brunnen saß eine Gruppe Jugendlicher. Es waren etwa acht. Das waren echte Straßenkids: dreckig, obdachlos. »Kennst du jemanden von denen?«, fragte er.

»Ehrlich, ich kenn solche Typen nicht«, sagte ich ärgerlich, weil er nicht aufhörte, mich das zu fragen. »Ich bin nie hier.«

Aber noch während ich sprach, sah ich, dass ich mich irrte. Eine kannte ich. Paisley. Sie saß am Ende der Bank und aß einen Schokoriegel. Mein Herz wummerte. Ich schaute zur Seite, hielt die Augen gesenkt und betete, dass sie nicht zum Auto gucken würde.

Sie guckte nicht her. Sie guckte ihren Riegel an und das Mädchen neben sich. Kommissar Brady musterte die Gruppe lange. Aber er fuhr weiter.

Ich atmete still durch und dann war Paisley hinter uns und ich war wieder ganz der unschuldige Junge.

Das Leben ging weiter. Inzwischen war es Herbst – die Blätter wechselten die Farbe, Kürbisse standen in den Fenstern zur Straße, man trug Pullover und Track Jackets. Die Football-Mannschaft hatte ein paar Spiele gewonnen und alle waren total aufgedreht. Homecoming und Halloween standen kurz bevor. Alle schienen glücklich und voller Vorfreude …

Nur ich nicht. Ich befand mich im freien Fall. Die Jennifer/Elizabeth-Clique strafte mich mit Verachtung, was bedeutete, dass sich Christian und Paul Auster nicht so oft mit mir abgeben konnten. Jared war hinter einer von Jennifers Freundinnen her, was auch ihn in eine schwierige Lage brachte. Das heißt, alle mussten mich irgendwie fallen lassen. Ehrlich gesagt war ich froh darüber. Es war schwer, andauernd einen auf normal zu machen. Obwohl es schon blöd war, wenn das Wochenende kam und ich nichts vorhatte.

Wenigstens konnte ich skaten. Aber auch das wurde schwieriger. Es fing wieder an zu regnen, und der einzig ordentliche Indoor-Park war Skate City im Einkaufszentrum, wo lauter Zwölfjährige waren. Da war Skaten im Regen doch besser.

Und dann wurde die Scheidung offiziell in die Wege geleitet.

Meine Mom drehte völlig durch. Sie nahm jeden Abend Schlaftabletten und ging gleich nach dem Essen ins Bett, manchmal sogar vorher. Oder sie blieb bei Grandma, und Tante Sally kam zu uns. Tante Sally hatte keine Kinder, deshalb stellte sie alle möglichen Regeln auf, die völlig unsinnig waren. Außerdem war sie Vegetarierin, so dass ihr Essen ziemlich krass war. Aber ihre Brownies waren gut.

Es kamen die ersten Anwaltsbriefe. Henry und ich sahen sie im Briefschlitz stecken. Ich ertappte mich bei dem Wunsch, mit Kommissar Brady darüber zu sprechen. Er war einer der wenigen Menschen auf der Welt, von dem ich mir etwas hätte sagen lassen.

Aber meist war ich nur stumpf. Jeden Tag wachte ich auf, zog mich an und ging zur Schule. Meine Noten rutschten ab und ich redete kaum mit jemandem. Man hätte denken können, dass ein Lehrer oder sonst jemand was gesagt hätte, aber nein. Wahrscheinlich dachten alle, es liege an der Scheidung.

Ich hatte nicht mehr so viel Angst. Ich fürchtete nicht mehr, dass ich plötzlich geschnappt werden würde. Im Internet fand ich heraus, dass von allen Mordfällen, die sich nicht in den ersten zwei Wochen aufgeklären lassen, nur drei Prozent gelöst werden.

Ich versuchte, Hausaufgaben zu machen. Etwa einmal pro Woche oder so setzte ich mich zwei Stunden lang hin, und ich erinnerte mich nachher sogar an das, was ich gelernt hatte. Aber an den meisten Abenden klinkte ich mich einfach aus. Ich setzte mich vor den Fernseher und machte dicht. Ich war nicht froh, ich war nicht traurig; ich fühlte mich einfach krank. Ich hatte das Gefühl, ich würde krank *werden*. Ich war ziemlich sicher, dass ich irgendwann Krebs bekommen würde.

Aber dann wieder, wenn ich mit dem Auto meiner Mutter fuhr oder im Unterricht saß, dachte ich: *Immerhin bin ich frei. Wenigstens kann ich skaten, wann ich will. Es gibt keinen Gerichtstermin, keine Anwälte, mein Schicksal liegt in keinen anderen Händen als in meinen.*

Aber war das wirklich Freiheit? Wenn da all dieses dunkle Zeug in meinem Kopf herumspukte, all diese Dinge, über die ich nie sprechen, die ich nie jemandem erzählen konnte? Wenn im Kopf was nicht stimmte, begriff ich, konnte jeder Ort ein Gefängnis sein.

Selbst ein nettes Haus im Vorort.

Gegen Ende Oktober fing ich wieder an, die Vista zu skaten. Die Vista ist eine alte Straße, die sich über die West Hills schlängelt und irgendwann ins Zentrum führt. Es gibt verschiedene Seitenstraßen, die man fahren kann. Jüngeren Skatern und Anfängern gefällt das, man kann etwa zwei Meilen lang locker cruisen. Und dann kann man für einen Dollar fünfzig mit dem Bus wieder hochfahren. Wenn man sich durch die hintere Tür reinschmuggelt, braucht man gar nicht zu bezahlen.

Jedenfalls gewöhnte ich mir an, dort hinzugehen, wenn ich es abends zu Hause nicht aushielt und mir sonst nichts einfiel. Stundenlang war ich dort. Selbst wenn es regnete. Beim Rollen über die glatten Straßen, wenn die feuchte Luft sich auf dem Gesicht niederschlug, ich einen iPod oder so was dabeihatte, ließ es sich richtig gut chillen ...

Eines Abends tat ich genau das, ich cruiste die Vista. Ein feiner Regen fiel. Draußen war keiner – nur ein paar Autos, aber keine Fußgänger. Die Straßen waren nass, ich fuhr ein bisschen zu schnell, und als ich unten an die Bushaltestelle kam, kriegte ich die Kurve nicht. Also raste ich einfach weiter, in die Stadt rein. Ich wollte sowieso einen Kaffee und mir wurde kalt. Ich behielt meine Geschwindigkeit bei und cruiste die Einundzwanzigste Straße. Und da sah ich Macy.

Sie stand vor dem Saigon Café. Sie unterhielt sich mit Rachel und Rachels Freund Dustin. Ich wäre weitergefahren, aber Macy sah mich und rief meinen Namen. Also hielt ich an, was bedeutete, dass ich nun nicht mehr bis zum Bahnhof fahren konnte. Aber das war okay. Mit Zügen hatte ich in letzter Zeit sowieso nicht so viel Glück gehabt.

Rachel und Dustin wollten nach Hause. Dustin hatte das Brett, das Rachel ihm gekauft hatte, nicht dabei, aber er sagte, dass es echt geil sei, und er dankte mir und laberte weiter, dass er jetzt lerne, einen Ollie zu machen. Wenn er richtig drauf gewesen wäre, hätte er sein Brett dabeigehabt, keine Frage, aber egal – nicht jeder ist zum Skaten geboren.

Rachel und Dustin wollten uns mit dem Auto mitnehmen. Ich lehnte ab, ich wollte mir einen Kaffee holen. Und dann sagte Macy, sie würde auch noch bleiben und wir könnten mit dem Bus zurückfahren. Ich sagte zwar, es sei nicht nötig, dass sie noch blieb, aber ehrlich gesagt war ich froh darüber. Ich brauchte Gesellschaft.

Wir holten uns Kaffee und setzten uns nach draußen, unter die Markise des Saigon. Es nieselte immer noch. Es machte richtig Spaß, heißen Kaffee zu trinken, während der Regen leise auf die Straße fiel.

»Und – wie läuft's mit deinen Eltern?«, fragte Macy. Offenbar war meine kaputte Familie bei den Nachbarn Gesprächsthema.

»Nicht besonders gut. Es ist jetzt offiziell. Sie lassen sich scheiden.«

»Das muss hart sein.«

»Vielleicht ist es gut. Jedenfalls wird jetzt offen darüber geredet. Und jeder weiß, was Sache ist.«

»Wo ist dein Dad?«

»Der wohnt bei meinem Onkel.«

Macy schlürfte ihren Kaffee. Wir saßen beide mit dem Rücken zum Saigon und starrten auf die nasse Straße. Ich zog einen Stuhl herum, so dass wir die Füße drauflegen konnten. Das fand Macy gut. Sie legte ihre zierlichen Puma neben meine riesigen, dreckigen Skater-Schuhe. Unsere Füße sahen aus wie die Schöne und das Biest.

»Fährt Rachels Freund eigentlich mit seinem neuen Skateboard?«, fragte ich.

»Nicht wirklich«, sagte sie. »Aber es gefällt ihm trotzdem. Dass sie dran gedacht hat, das zählt.«

Ich nickte. Ein Auto fuhr vorbei, die Räder zischten über das nasse Pflaster. Ich rutschte tiefer in meine Jacke und starrte auf meine Füße.

»Ich habe das von dir und Jennifer gehört«, sagte Macy.

»Tja.«

»Hat nicht lange gehalten.«

»Nein«, sagte ich.

»Warum hast du mit ihr Schluss gemacht?«

»Warum bin ich mit ihr gegangen? Wer weiß das schon?«

»Aber du musst sie doch ein bisschen gerne gehabt haben.«

»Im Sommer, ja, da mochte ich sie. Bevor sie beschlossen hat, dass ich ihr Freund bin.«

»Bei allem, was du durchmachst, ist so was bestimmt hart …«

Ich lachte und schlürfte meinen Kaffee.

»Warum lachst du?«, fragte Macy.

»Bei all dem, was ich *durchmache*«, sagte ich. »Das klingt so albern.«

»Aber du machst doch gerade eine Menge durch«, sagte sie ernsthaft.

Ich wollte das von mir abschütteln, aber die Art, wie sie das sagte, traf mich. *Mitgefühl.* Das brauchte ich. Ich war regelrecht ausgehungert danach. Ich war so dankbar, dass ich spürte, wie mir Tränen in die Augen stiegen.

Aber ich hielt sie zurück. »Viele haben Eltern, die sich scheiden lassen«, sagte ich. »Es gibt schlimmere Probleme.«

»Was denn?«

»Dass im Irak Leute getötet werden. Dass in Afrika Kinder verhungern.«

Macy blickte mich an. »Seit wann machst du dir Gedanken über hungernde Kinder in Afrika?«

»Du weißt doch, was ich meine. Unsere Problemchen. Unsere Streitereien. Das ist alles so was von blöd.«

»Nicht, wenn es einen selbst betrifft.«

»Es passieren viel schlimmere Sachen, als dass Eltern sich scheiden lassen.«

»Ach ja? Was denn zum Beispiel?«

»Ach, jede Menge.«

Sie blickte hinaus auf die Straße. »Ist dir was passiert?«, fragte sie leise.

»Nein. Das meine ich nur ganz allgemein.«

»Was ist dir passiert?«

»Nichts. Du weißt doch, was ich meine.«

Macy trank einen Schluck Kaffee. Das war das Ding bei Macy. Sie war nicht mehr das kleine, dumme Mädchen aus der Nachbarschaft. Wenn sie eine Frage stellte, traf sie ins Schwarze. Man musste antworten.

»Nein«, sagte ich. »Ich habe bloß das Gefühl, dass noch

andere Sachen passieren. Jenseits von unserem normalen Leben. Jenseits von Eltern und Freundinnen und Schlussmachen. Zum Beispiel da draußen.« Ich zeigte hinaus auf die dunkle Straße. »Es gibt noch ganz andere Ebenen.«

Macy verstand nicht so recht, wovon ich sprach.

»Mir ist wirklich was passiert«, sagte ich, bevor ich es mir anders überlegen konnte.

Aber da zeigte Macy, wie cool sie war. Sie fragte nicht, was. Sie sagte gar nichts. Sie saß bloß da, hielt ihren Kaffee fest und starrte in die Dunkelheit. Wenn ich mehr sagen wollte, konnte ich es tun. Wenn nicht, nun, dann war das auch okay.

Macy und ich fuhren mit dem Bus nach Hause. Wir saßen nebeneinander, unsere Hüften berührten sich, unsere Ellbogen stießen gelegentlich aneinander. Ich hielt mein Skateboard zwischen den Beinen und spielte mit dem Finger an einem Rad.

In Burnside stieg ein alter Mann ein. Eine Frau mit einer Bibliothekstüte ließ Kleingeld in den Automaten fallen. Ich konnte Macy riechen; ihr dichtes Haar hatte sich im Regen leicht gekräuselt. Wir fuhren den Hügel hinauf. Ich zeigte ihr die Stelle, wo man in den Bus steigt, wenn man die Vista gefahren war. Ich zeigte ihr ein paar andere Straßen, die gut zu skaten waren.

Macys Handy klingelte. Ihre Mutter war dran. Es gab eine kurze Auseinandersetzung darüber, wann Macy zu Hause zu sein hatte. Macy blieb stur. Ich konnte mich nicht erinnern, dass sie sich früher ihren Eltern so widersetzt hätte. Ich ertappte mich dabei, wie ich ihr beim Reden zuschaute, ihr Gesicht betrachtete.

Und sie hatte eine Figur. Das war mir vorher noch gar nicht aufgefallen. Unter der Jacke trug sie einen eng sitzenden Pulli, und ich konnte ihre Formen sehen, während sie telefonierte. Nicht dass mein Blick da hängen geblieben wäre. Es war nur ein weiterer Beweis für die Veränderung von Macy.

Sie beendete das Gespräch und steckte ihr Telefon weg. Wir schwiegen eine Weile. »Rachel und Dustin scheinen ja ganz glücklich zu sein«, sagte ich.

»Ja.«

»Was ist mit dir?«, fragte ich. »Gibt es Jungs, die du magst?«

»Was soll denn das?«, fragte sie.

»Du hast mich wegen Jennifer gefragt.«

»Das ist nicht dasselbe«, sagte sie.

»Möchtest du einen Freund haben?«

»Ja, wenn es jemanden gibt, den ich mag. Und der mich mag.«

»Jennifer war so was von scharf drauf, einen Freund zu haben«, sagte ich und spielte weiter mit dem Rad. »Bestimmt hat sie nächste Woche einen neuen.«

Macy antwortete nicht. Sie starrte durch das regennasse Fenster. »Was ist dir passiert?«

»Was meinst du?«

»Du hast gesagt, dir ist was passiert.«

»Nur die eine Sache. Ich kann nicht darüber reden, echt nicht.«

»Was für eine Sache?«

»Nicht der Rede wert, wirklich.«

»So klang das aber nicht.«

»Nicht der Rede wert.«

»Na gut. Wenn du es sagst.« Wieder klingelte ihr Telefon. Sie guckte, wer es war, und steckte es weg.

»Ist dir schon mal was passiert …?«, hörte ich mich plötzlich sagen. »Etwas, das echt an dir nagt, aber du kannst nicht drüber reden?«

»Ja. Glaub schon.«

»Und was hast du gemacht?«, fragte ich. »Wie hast du's vergessen können?«

»Mit der Zeit vergisst man es.«

»Die Zeit heilt alle Wunden?«

»Ja. Oder du sagst es jemandem«, sagte sie. »Bestimmte Dinge sollte man nicht für sich behalten. Sonst wird das immer größer in einem drin.«

»Ich weiß. Aber wenn man es nun niemandem erzählen kann?«

»Was denn? Wenn dich einer sexuell belästigt hat oder so? Solche Sachen soll man erzählen. Das sind genau die Sachen, die man erzählen muss.«

»Nein, aber wenn es etwas – also jetzt nicht bei mir, aber sagen wir, es ist etwas, das im Krieg passiert ist. Wenn du schreckliche Dinge gesehen hast.«

»Dann gehst du zum Seelenklempner. Weil du dann nämlich dieses posttraumatische Ding hast.«

Ich fürchtete, ich hätte zu viel verraten. Ich musste etwas sagen, um sie abzulenken. »Oder wenn du was weggenommen hast? Und du hast erst gedacht, es wäre weiter nichts wert gewesen, aber dann ist es doch was Wertvolles.«

Macy zuckte die Achseln. »Keine Ahnung. Es zurückgeben?«

»Und wenn das nicht geht?«

»Dann ... dann musst du eben versuchen, es auf andere Weise wiedergutzumachen. Oder es einfach dabei belassen, wenn du nichts machen kannst.«

Ich fuhr mit der Hand über die Räder von meinem Skateboard und ließ sie rollen.

Wir kamen an unsere Haltestelle. Ich drückte auf den Knopf und wir stiegen aus. Wir gingen gemeinsam die Straße entlang. Dunkle Wolken zogen still über den Himmel.

»Du hast dich in letzter Zeit verändert«, sagte Macy.

»Du dich auch«, sagte ich.

»Echt? Wie denn?«

»Du kommst zu Partys. Du gehst aus. Du trägst Pumas.«

»Ich habe immer Pumas getragen.«

»Du warst blöd«, sagte ich.

»Das hast du bloß gedacht, weil ich dich mochte.«

»Du warst echt *blöd*. Wie du mit deinem kleinen Fahrrad rumgedüst bist. Mit den Stützrädern.«

»Stützräder hatte ich mit sechs. Alle fangen mit Stützrädern an.«

»Du weißt, was ich meine.«

Wir waren an ihrem Haus angekommen. Für einen Moment blieben wir beide vor ihrer Auffahrt stehen.

»Also, tut mir echt leid, das mit deinen Eltern und so«, sagte sie.

»Klar, danke«, sagte ich.

»Und das mit den dunklen Geheimnissen, die du da drin hast«, sagte sie und hielt mir ihren Finger wie eine Pistole an die Schläfe.

»Ich habe doch keine Geheimnisse«, sagte ich möglichst locker.

»Doch, hast du wohl«, sagte sie.

Ich antwortete nicht. Ich packte mein Skateboard. Über uns wiegten sich die immergrünen Bäume im Wind. Ganz kurz fuhr mir ein Gedanke durch den Kopf. Macy und ich, wir könnten …

»Also gut«, sagte sie. »Ich muss jetzt. Sonst ruft meine doofe Mutter noch mal an.«

»Okay.«

»Danke für den Kaffee«, sagte Macy.

»Kein Ding«, sagte ich.

SEASIDE, OREGON

8. JANUAR 21 UHR 30

Liebe ...!
Im November war keine Rede mehr vom Paranoid-Park-Mord. Weder im Fernsehen noch in den Zeitungen. Neue Mordfälle, neue Verbrechen waren an seine Stelle getreten, und abgesehen davon waren die Zeitungen natürlich immer noch mit den Portland Trail Blazers beschäftigt. Sie hatten den neuen Trainer entlassen und einen anderen gefunden, der »anständiger« sei und »unsere Gemeinschaft« besser vertrete – was immer das zu bedeuten hatte.

Auf den Tag genau zwei Monate nach dem 17. September skatete ich die Vista. Ich hatte gehofft, dass ich langsam eine gewisse Erleichterung spüren würde. Ich wollte glauben, dass ich es durchhalten würde, wenn ich einfach weitermachte. Irgendwann würde ich auf eine andere Ebene gelangen. Aber die schien es nicht zu geben. Bislang gab es nur die eine: mein Leben, mein Hirn, die Dinge, die ich getan hatte.

Ich dachte immer noch daran, dass ich es jemandem sagen sollte. Das war eher ein Tagtraum, eine Fantasie – aber nichts, was ich ernsthaft erwog, nicht in der wirklichen Welt. Das lag zum Teil daran, dass die Dinge ihren Lauf genommen hatten. Es ist schwer, eine Lüge zurückzunehmen, wenn sie erst einmal ausgesprochen ist. Und zudem wird sie im Laufe der Zeit von anderen Dingen überlagert. Geheimnisse werden im alltäglichen Leben einfach untergebuddelt. Und wenn sie dann schon tief unten sind, ist es noch schwerer, sie auszugraben, und was für einen Sinn hätte das überhaupt?

Eines war sicher: Ich würde es nie vergessen. Vielleicht stimmte es, dass die Zeit alle Wunden heilte, aber die Narben konnte sie nicht ausradieren. In zwanzig Jahren würde ich meine Zeit in der Oberschule nicht mit freundlichen Erinnerungen an Mädchen und Partys und Football-Spiele verbinden. Meine klarste Erinnerung wäre der Wachmann auf den Gleisen. Für immer.

Und mein Verhältnis zu den Menschen meiner Umgebung würde nie wieder so wie früher sein. Zwar würde ich noch »Freunde« haben, aber nicht wie ein normaler Mensch. Das war wirklich das Schlimmste: dass ich mich in der Gegenwart von anderen nie ganz wohlfühlte. Dass ich nicht in der Lage war, wirklich locker zu sein und einfach zu lachen und ehrlich zu sein. Ich wusste nicht, was ich dagegen machen konnte.

Ich wusste nicht, ob sich das je ändern würde.

Mir fiel auf, dass ich mit mir selbst redete. Nicht gelegentlich wie andere auch, sondern andauernd. Ich führte ganze Gespräche, während ich allein im Bus saß oder mit dem Auto meiner Mutter unterwegs war. Ich weiß nicht, mit wem ich redete: mit Kommissar Brady oder mit meinen Freunden oder mit Gott. Manchmal versuchte ich, was zu erklären, mich zu rechtfertigen; ich hielt im Kopf eine kleine Pressekonferenz ab. *Das Schwierige an meiner Situation ist …*

Oder ich sagte total blödes Zeug wie: *Wenn ich nach Hause komme, mache ich mir ein Schinkenbrot und gucke dann die* Daily Show.

Ich glaube, das tat mir gut. Vielleicht war mein ganzes Gebrabbel eine Art Gebet, vielleicht ein langes Gespräch mit Gott. Das klingt zwar sehr tiefsinnig und »spirituell« und so, aber ehrlich gesagt, ich hätte lieber mit einem richtigen Menschen geredet.

Aber genau das konnte ich nicht tun.

Der Erntedanktag kam und ging und irgendwann danach tauchten Jared und Paul Auster in der Schule bei mir am Schrank auf. Ich hatte eine Weile nicht mit ihnen gesprochen, aber sie luden mich ganz ausdrücklich ein, nach der Schule mit ihnen beim Rathaus zu skaten. Der Tag war kalt und trocken und sonnig, also sagte ich zu.

Wir fuhren mit Pauls Auto. Ich saß hinten. Irgendwann drehte sich Jared zu mir um und sagte, dass sie mit mehreren Leuten über mich geredet hätten und dass sie sich Sorgen um mich machten, weil meine Eltern sich scheiden ließen und alles, und ob ich nicht öfter mit ihnen skaten wollte.

»Skaten ist die beste Lösung für Familienprobleme«, sagte Paul.

Ich fand das ziemlich cool von ihnen. Jared und Paul sind keine Typen, die über Familienkrempel quatschen. Genau wie ich. War aber trotzdem nett.

Am Rathaus trafen wir Christian Barlow. Es waren eine Menge unterschiedliche Skater da. Alle versuchten, das niedrige Geländer am Fußweg für Behinderte zu fahren. Ein cooler Typ aus Hawaii schaffte es ganz und hatte den Trick sogar fast gestanden. Sein Freund filmte ihn. Alle anderen sind gestürzt und ziemlich böse hingeknallt.

Ich wagte mich nicht an das Geländer, sondern übte mit einem Typen, der mir zeigte, wie man beim Ollie höher kommt. Ich fühlte mich erleichtert, einfach weil ich dort war. Ich war gerne mit Christian Barlow zusammen und besonders mit Paul, der echt lustig war, wenn er über Mädchen redete oder über Sachen, die in der Schule passiert waren.

Dann schlug jemand vor, den Paranoid Park zu skaten. Ich glaube, der Typ aus Hawaii wollte mit seinen Freunden dahin, und dann wollte Paul auch. Christian und Jared sowieso. Ich glaube, niemand dachte mehr daran, was im September passiert war, denn es war schon Dezember. Sie sagten nur: »Los, zum Paranoid Park!«, und alle sprangen in ihre Autos.

Ich war natürlich nicht so begeistert. Als wir über die Brücke fuhren, knotete sich mein Magen zusammen. Wir bogen ab und kreiselten hinunter in das Industriegebiet. Es war später Nachmittag, fast dunkel; nur ganz oben in den alten Lagerhäusern fing sich noch das letzte Sonnenlicht. Alles andere war dunkel und schattig.

Als wir anhielten, fuhr eine blaue Limousine vorbei. Die

sah aus wie Kommissar Bradys Wagen. Ich guckte, konnte aber nicht erkennen, wer in dem Auto saß. Außerdem wollte ich nicht, dass die anderen merkten, wohin ich guckte. Also lehnte ich mich zurück.

Das würde auch meine Strategie für meinen Wiederauftritt im Paranoid Park sein. Einfach zurücklehnen. Den Mund halten. Aus jedem Stress raushalten.

Wir parkten, schnappten unsere Bretter und kletterten die Böschung hoch. Auf der Betonplattform blieben wir einen Moment stehen und blickten auf den Park. Das Gelände sah anders aus, als ich es in Erinnerung hatte. Irgendwie sauberer, kleiner, nicht so bedrohlich. Die Flutlichter waren an; sie wärmten den Beton und ließen alles sicher und okay scheinen.

Die anderen Typen zögerten nicht. Christian fuhr von der Kante in die Rampe. Paul und Jared waren direkt hinter ihm. Christian versuchte, die Kante zu grinden, und fiel und haute dabei beinahe Paul um. Alle waren total aufgedreht. Alle waren voll dabei. Ich droppte in den Bowl und fuhr eine softe Line. Ich war vorsichtig und guckte mir die Leute genau an – es waren ungefähr ein Dutzend oder so da –, ob jemand dabei war, an den ich mich erinnerte. Ich checkte auch den Parkplatz auf der anderen Seite. Ich sah kein bekanntes Gesicht. Alles im grünen Bereich. Außer uns und den Hawaii-Typen waren kaum andere im Paranoid Park.

Langsam ließ bei mir die Spannung nach. Ich versuchte einen Grind und schaffte ihn fast. Eine Stunde verging und ich vergaß meine Probleme. Es machte richtig Spaß, und ich merkte, dass mir der Paranoid Park echt gut gefiel. Ich überlegte, ob ich schon früher hätte herkommen können. Vielleicht musste ich mich meinen Ängsten einfach nur aussetzen.

In dem Moment blickte ich mich um und sah auf dem unteren Parkplatz ein paar Leute eintreffen. Das waren Straßenkids, fast nur Jungs, mit Brettern und großen Flaschen Olde English 800. Zwei Mädchen waren dabei. Eine kam mir bekannt vor. Eine war Paisley.

Ich geriet nicht in Panik. Ich fuhr in den Bowl auf der anderen Seite, poppte raus und stellte mich hinter zwei Typen, die an der Kante standen. Ich sah zu, wie die Straßenkids zum Park hochkamen. Ich beobachtete Paisley. Sie sah anders aus in Winterklamotten. Sie trug einen riesigen Newsboy Hat. Aber ihre Haare waren noch genauso schwarz gefärbt und ihr Gesicht hatte noch denselben Steinzeitausdruck – so weiß, so fertig. Sie blieb bei der großen Betonmauer stehen und unterhielt sich mit dem anderen Mädchen. Ich versuchte, mich unsichtbar zu machen.

Aber es klappte nicht. Sie sah mich. Ich weiß nicht, wie, sie hatte sich nicht mal umgeblickt. Aber plötzlich starrte sie mich direkt an. In ihrem Gesicht spiegelten sich Schrecken und Überraschung.

Ich wandte mich ab. Ich trug eine Wollmütze, die ich mir jetzt tiefer ins Gesicht zog. Aber das genügte nicht, es war zu spät.

Paisley sagte was zu ihrer Freundin, dann kam sie auf mich zu. Keiner ihrer Kumpels schien auf sie zu achten. Trotzdem war es eine blöde Situation. Als sie näher kam, war klar, dass sie mir was sagen wollte. Ich spürte mein Herz bis in die Kehle pochen. Als sie fast bei mir war, lächelte ich zaghaft und nickte ihr zu.

Sie erwiderte das Nicken nicht. »Was machst du denn hier?«, zischte sie.

»Nichts. Abhängen.«

»Du solltest dich lieber verpissen. Schrammes Freunde sind hier.«

»Und?«

»Und? Dann sehen sie dich!«

Ich blickte an ihr vorbei zu ihren Freunden rüber. »Aber ich habe doch gar nichts gemacht!«

»Willst du mich verarschen? Schramme musste die Stadt verlassen. Sie haben ihn fast geschnappt. Wieso bist du überhaupt hier?«

»Aber es war ein Unfall.«

»Nicht, wenn du die Typen fragst. Sie denken, du hast es getan und dass wegen dir hier alles voller Bullen war.«

Ich hatte keine Polizei gesehen. Außer dem blauen Auto, als wir ankamen.

Hinter Paisley sah ich eine zweite Gruppe Straßenkids vom Parkplatz hochkommen. Sechs oder sieben. Paisley sah sie auch. »Pass bloß auf«, flüsterte sie. »Du solltest gar nicht hier sein.«

Damit drehte sie sich um und ging schnell zu ihrer Freundin zurück. Ich wandte mich ab, so dass die anderen mein Gesicht nicht sehen konnten.

Mir war immer noch nicht klar, was die Straßenkids gegen mich hatten. Oder warum es meine Schuld sein sollte.

War es nicht eher so, dass sie mir Respekt schuldeten, weil ich mich gegen einen Wachmann gewehrt hatte?

Trotzdem beschloss ich abzuhauen. Warum was riskieren? Mir würde schon was einfallen, was ich später Jared sagen konnte. Ich steckte mir meine iPod-Kopfhörer in die Ohren und schlenderte auf die Böschung zu. Ohne mich umzudrehen, sprang ich auf den Pfad runter und kroch durch den Zaun. Ich rutschte und schlitterte die Böschung hinunter. Dann warf ich mein Brett auf den Boden und fuhr los. Ich dachte, ich hätte einen ausgesprochen lockeren Abgang hingelegt, aber als ich mich umblickte, stand jemand am Zaun. Er schien mich zu beobachten.

Dann zeigte er auf mich und rief seinen Freunden was zu.

Ich spürte, wie die Angst in mir wuchs, als ich die Straße runterfuhr. Ich bog nach rechts ab und cruiste durch das Industrieviertel. Auf einer der Laderampen hockten ein paar Penner und tranken Bier. Ich pushte schneller, fuhr an ihnen vorbei und bog dann hinter dem großen Gebäude von United Textile nach links. Nach jedem Abbiegen blickte ich mich um. An den Gleisen sprang ich vom Brett und rannte über den Schotter. Ich wusste weder, wo ich hinwollte, noch, warum ich eigentlich wegrannte.

Aber ich war auf der Flucht. Ich konnte nicht anhalten. Mein Herz klopfte wie wild. Ich hatte Todesangst. Immer noch. Nach zweieinhalb Monaten. Ich hatte solche Angst, dass jedes Gelenk in meinem Körper zitterte. Diese Spannung und diese Angst hatten die ganze Zeit über in mir gesteckt und ich hatte es nicht einmal bemerkt.

Ich skatete über den großen Parkplatz Richtung Fluss. Es war derselbe Parkplatz, über den ich am siebzehnten September geflohen war. Über mir war derselbe kalte Himmel, der mich seit jenem Tag verfolgt hatte. Dieser tiefe, schwarze, herabstürzende Himmel.

Sie tauchten auf, als ich am anderen Ende des Parkplatzes war. Sie kamen von rechts. Inzwischen war es vollkommen dunkel, erst hörte ich sie – dieses tiefe Rattern von Rädern auf Pflaster –, dann sah ich sie: Vier Typen – vier Straßenkids – alle auf Skateboards, alle fuhren schnell auf mich zu.

»Hey, Junge!«, schrie einer mit einem teuflischen Grinsen im Gesicht. »Wo willste hin?«

Die anderen grinsten auch. Denen ging es nicht nur darum, Schrammes Ehre zu verteidigen, es war auch eine wunderbare Gelegenheit, einem hilflosen Stino die Fresse zu polieren.

Sie pushten mit aller Kraft. Ich auch.

»Hey! Warum haust du ab?!«, schrie ein anderer. »Wir wollen bloß reden!«

Jetzt kam eine kleine Steigung, Richtung Fluss. Ich pushte mit aller Gewalt und ging in die Hocke, um noch schneller zu werden. Sie machten es genauso. Sie kamen näher. Ich wartete, bis sie kurz hinter mir waren, dann zog ich scharf nach rechts rüber und raste quer an der Nose von dem Typen vorbei, der am nächsten dran war. Er verlor die Balance und fiel auf den Arsch. Ich blieb in der Hocke und rollte auf das dichte Gebüsch am Rand des Parkplatzes zu. Ich hatte einen kleinen Vorsprung rausgefahren. Wenn ich zu dem Gebüsch kam, könnte ich mich verstecken. Das war vielleicht eine Chance.

Aber dann sah ich den Zaun, Maschendraht, zwischen mir und dem Gebüsch. Wo kam der denn her? Ich lenkte nach links. In dem Moment holte mich einer ein. Er versuchte, mich zu packen, und wir stießen zusammen. Wie durch ein Wunder wurde er langsamer, aber ich nicht.

Doch die anderen kamen näher. Noch einer zog auf gleiche Höhe mit mir, knapp zwei Meter rechts von mir. »Hey, Junge!«, zischte er. »Wir haben was für dich! Von Schramme.«

Ich machte einen Schlenker auf ihn zu und kickte ihm mein Brett an die Knöchel. Er taumelte und fiel; ich sprintete zu dem Gebüsch. Ich rannte so schnell, dass meine Beine kaum den Boden berührten. Ich sprang den Zaun an und kletterte die Maschen hoch.

Ich schaffte es nicht. Eine Hand packte mein Bein, eine andere meinen Knöchel. Eine dritte fand meinen Hosenboden. Das Gewicht der drei riss mich runter. Ich knallte mit der Seite auf den Beton.

Einen Moment lang blieb ich benommen liegen. Ich glaube, jemand spuckte auf mich. »Klasse gemacht, du Poser!«, sagte eine Stimme. »An die Bullen verpfeifen, voll geil!«

Ich wollte mich umdrehen. »Aber das habe ich nicht«, stöhnte ich. »Ich schwöre, ich habe nicht ein Wort …«

Jemand trat mich kräftig in die Seite, dass mir die Luft wegblieb. »Wat sachste, Poser? Was war das?«

»Ich *schwöre* …« krächzte ich.

Noch ein Tritt in den Rücken. Ich rollte mich weiter zusammen. Ich schützte meinen Kopf. Ich hatte nur einen Gedanken: *Ich bin so was von tot. Ich bin so was von tot.*

Dann heulte eine Sirene. Ein helles Licht blitzte über den Zaun, beleuchtete unsere Gruppe. Es war ein Polizeiwagen, der sehr schnell fuhr, direkt auf uns zu. Schleudernd kam er zum Stehen und die Angreifer flitzten in alle Richtungen.

Ich hörte, wie sich ihre Schritte entfernten. Langsam und vorsichtig faltete ich mich auseinander und hob den Kopf. Ich blickte in die Scheinwerfer eines zivilen Polizeiautos, das rote Polizeilicht blinkte noch. Rechts von mir jagten zwei Zivile den Skatern hinterher.

Einer der beiden blieb am Ende des Zaunes stehen und kam zu mir zurückgelaufen. Ich war noch im Scheinwerferlicht und konnte erst nicht sehen, wer es war. Aber die Stimme war vertraut. Genau wie die dicken Hände, die mir aufhalfen: Es war Kommissar Brady.

Wer sonst.

Brady sagte nichts. Er half mir hoch und schob mich in sein Auto. Dann sprang er auf den Fahrersitz und wir brausten los.

Wir sammelten den anderen Polizisten ein. Brady riss den Wagen herum und drückte das Gaspedal durch. Er wollte den Straßenkids den Weg versperren. Sein Kollege rief über Funk andere Polizeiwagen zu Hilfe, wobei er von »Verdächtigen« redete. Ich versuchte, Klarheit in meine wirren Gedanken zu bringen. Glaubte er, die Typen hätten den Mord im Rangierbahnhof begangen? Oder jagte er sie, weil sie mich zusammengeschlagen hatten? Oder war er hinter ihnen her, weil sie Straßenkids waren und so in jedem Fall verdächtig?

Brady konnte sie nicht finden. Sein Kollege bellte ins Funkgerät. Ein normaler Polizeiwagen kam um eine Ecke geschossen und stieß fast mit uns zusammen. Kommissar Brady fluchte.

Dann meldete ein anderer Wagen, dass vier junge Männer Richtung Flusspromenade rannten. Brady wendete sofort, fuhr dorthin, bog mit quietschenden Reifen auf den Parkplatz und kam schlingernd zum Stehen. Sein Kollege und er sprangen aus dem Auto und rannten die Wiese hinunter.

Ich stieg auch aus, aber Brady winkte mir zu, ich solle zurückbleiben.

Das tat ich. Ich stellte mich neben den zivilen Polizeiwagen und schaute zu, wie Brady und sein Kollege im Mondschein über das Gras rannten.

Wenig später kam ein anderer Polizeiwagen und stellte sich neben Bradys Auto. Die Polizisten – in Uniform – liefen schnell den anderen hinterher. Alle verschwanden unter der Morrison-Brücke.

In dem Moment blickte ich auf meine Hände und sah, dass sie vom Zaun dreckig und blutig waren. Die Typen hatten mich erwischt. Sie hatten mich am Boden. Wenn Brady nicht gekommen wäre, wer weiß, was sie mit mir gemacht hätten.

Ich spürte, wie mich ein heftiges Beben erschütterte. Mein ganzer Körper begann zu zittern. Ich kroch auf den Beifahrersitz von Kommissar Bradys warmem Auto. Es war dasselbe Auto, in dem ich schon einmal gefahren war, und da war es mir ebenfalls besser gegangen. Mich überkam eine seltsame Ruhe. Und mir kam der Gedanke: *Brady könnte ich die Wahrheit sagen.*

Ich blickte zum Fluss und auf die Stadt dahinter. Kommissar Brady war der Schlüssel. Er war der Mensch, nach dem ich gesucht hatte, der Mensch, dem ich trauen konnte, der Mensch, der mich verstand. Ich hatte ihn die ganze Zeit vor der Nase gehabt. Warum hatte ich das nicht gemerkt?

Meine Augen füllten sich mit Tränen. Ich fing an zu weinen. Ich spürte, wie all die Spannung, die meinen Körper gefangen hatte, endlich nachließ und mich freigab. Ich wischte mir mit dem Ärmel die Tränen ab. Auf dem Sitz fand ich ein paar Servietten von Dunkin' Donuts und ich putzte mir die Nase.

Als ich mir die Augen und das Gesicht abtupfte, entdeckte ich noch etwas auf dem Sitz. Es war eine Grußkarte in einem Umschlag. Ich saß darauf, zerknitterte sie. Ich rutschte zur Seite und zog sie hervor. Der Absender fiel mir ins Auge. Er lautete: »Mr. und Mrs. Edwin Brady«.

Ich schaute darauf, während ich mir noch einmal die Nase putzte. Edwin Brady? Das musste ein Verwandter sein. Die Eltern von Kommissar Brady konnten es nicht sein, die waren geschieden.

Aber jetzt war ich neugierig. Ich hielt den Umschlag ins Mondlicht. Er war an Matthew Brady adressiert und kam von Mr. und Mrs. Edwin Brady. Ich zog die Karte heraus, auf der ein Berggipfel abgebildet war. Innen war kein Bild, nur ein handschriftlicher Text:

> *Lieber Matthew, liebe Lisa!*
> *Wir möchten Euch sehr herzlich für Eure Hilfe an unserem vierzigsten Hochzeitstag danken. Mögen Eure gemeinsamen Jahre so glücklich und freudvoll sein, wie unsere es waren.*
> *In aller Liebe, Mom und Dad*

Ich überlegte, wie das sein konnte. Die Eltern von Kommissar Brady waren geschieden. Das hatte er mir selber gesagt, als ich ihm von meiner Familie erzählte.

Hatte er gemeint, dass *er* geschieden war? Aber das war er ja offenbar auch nicht. Er war mit dieser Lisa verheiratet.

Ich saß im Auto und las die Karte noch einmal. Ich blickte auf den Umschlag. Kommissare dürfen einen nicht anlügen, oder? War das nicht verboten? Ein Polizist darf vielleicht irgendwas sagen, um einem Angst einzujagen, aber ein Kommissar, der einen Fall zu lösen versucht, kann einen doch nicht einfach fett *anlügen*. Das darf er nicht. Sonst kriegt er Ärger. Selbst wenn es was ist, was mit dem Fall nichts zu tun hat, oder? Die können sich doch nicht einfach was ausdenken, um einen reinzulegen, damit man sie mag oder ihnen vertraut oder was auch immer.

Oder?

Als ich aus dem Auto stieg, kam mir die nächtliche Luft kühl vor. Ich zog meine Jacke fest um mich und schlug die Tür zu. Beim Klappen der Tür drehte sich einer der Polizisten um. Aber er sagte nichts. Er hielt mich nicht auf.

Ich ging über den Parkplatz, weg vom Fluss. Am anderen Ende stand noch ein Polizeiwagen. Ich konnte nicht sehen, ob jemand drinsaß.

Ich ging weiter, über die Grand Avenue, unter der Schnellstraße durch, zurück zum Zubringer. Ich überquerte den stillen, verlassenen Parkplatz und fand mein Brett verkehrt rum neben dem Maschendrahtzaun. Da waren auch die Bretter der Straßenkids. Ich ließ sie dort und ging nach Norden, zum MLK Boulevard, wo die Busse fuhren.

Ich weiß nicht, was ich mir dabei dachte. Eigenartigerweise war ich fest davon überzeugt, dass mir nichts geschehen würde. Nicht in jener Nacht. Und das stimmte. Niemand kam mir hinterher. Niemand brachte mich zur Strecke.

Am MLK kam gerade der Bus 57. Ich stieg ein. Als ich durch den Bus ging, zitterte ich noch ein wenig. Ich setzte mich auf die vierte Bank von hinten, wo ich auch mit Macy gesessen hatte an dem Abend, als ich auf der Vista war. Von jetzt an würde das *mein Platz* sein, beschloss ich.

Kurz darauf fuhr der Bus los. Er fuhr über den Fluss und die Burnside hoch Richtung West Side. Durchs Busfenster blickte ich auf die vorbeifahrenden Autos. Auf die Häuser zwischen den Bäumen entlang der Straße. An diesem Abend hielt ich keine Selbstgespräche. Mein Hirn war leer. Ich dachte an gar nichts.

Als wir bei uns waren, stieg ich aus und lief unsere Straße entlang. Ich hoffte, dass ich zu Hause niemandem begegnen würde, und der Wunsch wurde mir erfüllt. Meine Mom lag auf der Couch vor dem Fernseher und schnarchte. Henry schlief auch, im großen Sessel. Ich ging an ihnen vorbei und hinauf in mein Zimmer. Ich zog mich aus und duschte.

In meinem Zimmer zog ich frische Unterhosen an, ein sauberes T-Shirt. Ich stellte das Radio an und hörte den letzten Teil vom Spiel der Trail Blazers. Als ich ins Bett kroch, spürte ich einen vertrauten Schmerz in der Brust, die Angst, geschnappt oder durchschaut zu werden, oder was auch immer. Aber ich ließ mich davon nicht beeinträchtigen. Nichts davon war meine Schuld. Ich war bloß ein Junge. Ich legte mich hin und zog mir das Deckbett bis zum Hals. Ich blinzelte zur Zimmerdecke hoch. *Gott, du hast mich bis hierher geführt*, sagte ich. *Du kannst mir nicht vorwerfen, dass ich versuche zu überleben.*

Dann drehte ich mich zur Seite und war in ein paar Minuten eingeschlafen.

Während der nächsten beiden Tage durchlebte ich die üblichen Ängste: Ich wartete darauf, dass das Telefon klingelte, dass Brady vorbeikam, dass die Polizei mich aus dem Unterricht holte und in Handschellen abführte.

Aber das trat nicht ein. Nichts geschah. Niemand kam.

Die Scheidung ging ihren Gang. Anders als bei einem Mordfall wurde hier jedes Detail von einer großen Gruppe Experten geprüft und diskutiert. An einem Samstag kam ein Freund meiner Mutter, ein Scheidungsanwalt, um ihr zu helfen. Er legte einen Haufen Papiere auf den Küchentisch, sie tranken Kaffee und redeten den ganzen Nachmittag.

Ich mied die Küche. Ging raus auf unsere Auffahrt und übte Ollies. Ich stellte leere Getränkedosen in eine Reihe und übte drüberzuspringen. Nach ein paar gelungenen Sprüngen fiel ich auf den Arsch. Ich rollte mich auf den Rücken und blieb dort liegen, mitten auf der Auffahrt. Es war eigenartig, sich auf dem kalten Beton auszustrecken und in den grauen Winterhimmel zu gucken. Irgendwie war's cool. Der Himmel sah so groß und weit und beinahe freundlich aus. Der Glanz. Die Leere.

»Hallo?«, sagte eine Stimme.

Ich hob den Kopf. Es war Macy. Ich legte den Kopf wieder ab und schloss die Augen.

»Hal-*lo*?«, wiederholte sie. »Warum liegst du mitten auf der Auffahrt?«

»Darum.«

»Bist du tot?«

»Seh ich tot aus?«

»Ein bisschen.«

Sie saß auf einem Fahrrad. Es musste das von ihrem Dad sein, denn es war viel zu groß für sie. Sie hatte den Fuß auf die Bordsteinkante stellen müssen, um nicht umzufallen.

Dann stand ich auf. Ich stellte mein Brett hin. Ich rollte zur Straße runter und hielt mich am Gepäckträger von Macys Fahrrad fest.

»Was soll das?«

»Zieh mich.«

»Kann ich nicht.«

»Klar kannst du das! Tritt in die Pedale!« Ich schob ihr Rad an und sie musste treten.

»Ich kann nicht …«

»Fahr einfach!«

Ich schob sie. Wir wurden schneller. Sie fing an, mich zu ziehen. Wir fuhren den halben Block runter. Dann in der anderen Richtung zurück.

Danach hockten wir uns an den Straßenrand. Ich saß auf meinem Brett. Sie kaute Kaugummi.

»Ich habe mir Gedanken gemacht«, sagte sie, formte eine Blase und zog sie dann zu einem langen Streifen aus.

»Worüber?«

»Über das, was du gesagt hast. Dass du was gemacht hast, das du niemandem sagen kannst.«

Darüber wollte ich jetzt nicht reden. »Das ist nicht wichtig. Vergiss es.«

»Was ich tun würde …«, sagte sie. »Ich würde einen Brief schreiben.«

»Ach ja?«, sagte ich. »An wen denn?«

»An den Menschen, dem du das angetan hast. Wie so eine Art Entschuldigung oder so.«

Ich antwortete nicht.

»Oder vielleicht an jemand anders«, sagte sie. »An jemanden, der nichts damit zu tun hat, dem du aber vertraust. Das Ding ist, dass du es jemandem sagen musst, damit du es von der Seele kriegst. Alle Einzelheiten, alle Dinge, die dich verrückt gemacht haben. Schreib das alles auf.«

»Und was dann?«

»Dann geht's dir besser.«

»Ach ja?«, sagte ich. »Und was mache ich mit dem Brief?«

»Was du willst«, sagte sie und steckte den Kaugummi wieder in den Mund. »Heb ihn auf. Verbrenne ihn. Schick ihn an die betreffende Person. Das ist nicht so wichtig. Wichtig ist, dass du es überhaupt aufschreibst. Meine Psychologin hat mich das machen lassen, als ich einen Megastreit mit meiner Mutter hatte.«

»Ich weiß nicht. Das klingt wie eine Hausaufgabe.«

»Glaub mir, wenn du erst mal angefangen hast, dann ist es nicht mehr wie eine Hausaufgabe. Es ist ein gutes Gefühl, wenn man aussprechen kann, was man denkt. Das ist eine riesige Erleichterung.«

»Ja, kann schon sein.«

»Der Witz ist«, sagte sie, »du musst an jemanden schreiben, mit dem du wirklich reden kannst, verstehst du? Also, du musst an jemanden schreiben, bei dem du dich richtig aufgehoben fühlst. Also nicht an Lehrer oder Eltern oder so was. Schreib an einen Freund oder eine Freundin.«

»Tja …«, sagte ich.

»Schreib an mich«, sagte sie, wobei ihre Stimme ein wenig sanfter wurde.

Ich dachte darüber nach. Dann klingelte ihr Handy. Sie stand auf und ging ran. Es war ihre Mom. Macy lief auf die andere Straßenseite, während sie sich stritten.

Ich saß auf meinem Skateboard und blinzelte in den Himmel.

SEASIDE, OREGON

8. JANUAR SPAETER

Liebe ...!
Also, das hier sind sie. Meine Briefe an dich, Macy McLaughlin. Jedenfalls sind es Briefe an dich geworden. Du bist irgendwie der Mensch, bei dem ich mich am besten aufgehoben fühle, also ist das wohl sinnvoll.

Du hattest so was von recht. Mit jeder Seite, die ich schrieb, ließ das Gewicht auf meinen Schultern nach. Wenn man wirklich am Schreiben ist, ist es, als würde man mit dem besten Freund reden, nur kann der einen nicht unterbrechen oder einem sagen, wie blöd man ist.

Tja ... was kann ich dir noch erzählen, bevor ich hiermit Schluss mache? Das Meer ist heute Nacht sehr ruhig. (Es ist fast Mitternacht.) Mein Onkel Tommy ist unten und kocht. Es war nett von ihm, mich die Winterferien über in sein Strandhaus einzuladen. Er ist supercool. Ich glaube, er macht sich Sorgen um mich, er behandelt mich, als wäre ich jetzt, da die Scheidung läuft, ein besonders zerbrechliches Wesen. Er spioniert mir nie nach, fragt auch nicht, warum ich die ganze Nacht auf bin und wie ein Irrer kritzle.

Also, das Wichtigste, was ich dir sagen wollte, bevor ich das hier abschließe: Danke. Ich weiß nicht genau, wofür. Wahrscheinlich dafür, dass es dich gibt. Dass du mit mir an jenem Abend die Vista hochgefahren bist. Und dass du mein Hirn beschäftigt hast. Auch jetzt denke ich an dich. Hauptsächlich, weil ich dir diese endlosen Briefe geschrieben habe. Aber ich denke auch an dich, wenn ich am Strand langgehe oder abends vor dem Einschlafen. Ich habe mich immer gefragt, was wohl mal an die Stelle der schrecklichen Bilder in meinem Kopf treten würde. Ich hätte nie gedacht, dass es diejenige sein würde, die mich so genervt hat, als ich in der Sechsten war, die ein paar Häuser weiter wohnt.

Was ich tun werde – wer weiß? An manchen Tagen erwarte ich, dass Kommissar Brady mit Handschellen vor meiner Tür steht. Dann wieder möchte ich auf ein Polizeirevier gehen und alles gestehen. Ich wünschte, ich hätte mehr Vertrauen zu den Menschen gehabt. Ich wünschte, ich hätte den Dingen mehr Glauben schenken können. Andererseits – warum das Schicksal herausfordern? Erwachsene machen auch nicht immer das Richtige. Die sind noch kaputter als Jugendliche. Wir wissen wenigstens, dass wir voller Scheiße stecken.

Das war das Gute daran, dass ich in den letzten beiden Monaten auf dich gestoßen bin. Du hast mir irgendwie den Arsch gerettet. Der Grund ist: Ich vertraue dir. Wirklich. Und mehr braucht es nicht. Zu wissen, dass da noch jemand ist, der auf meiner Seite ist, jemand, der mir den Rücken stärkt. Das reicht, um bei Sinnen zu bleiben.

Ach ja, und da ich weiß, dass hier jetzt Schluss ist, kann

ich dir auch noch eins sagen: Ich mag dich irgendwie. Ist das nicht albern? Und so typisch. Als du aufgehört hast, mich zu mögen, mochte ich dich. Gott macht so einen Scheiß. Echt wahr. Das alles ist Teil des grandiosen kosmischen Witzes.

Okay, Macy McLaughlin. Es ist spät und ich höre auf. Danke, dass du mir Gesellschaft geleistet hast. Danke für so vieles.

Jetzt geh ich mir Streichhölzer suchen …

© Beth Rosenberg

Blake Nelson

Blake Nelson, geboren 1960 in Chicago, verbrachte seine Kindheit und Jugend in Portland, Oregon. Heute lebt er mit seiner Frau in New York. Er ist Autor zahlreicher Jugendbücher; bei Beltz & Gelberg erschienen von ihm bereits die Romane *Cool Girl* und *emmaboy tomgirl*.

Blake Nelson
Cool Girl

Aus dem Amerikanischen von Hans Schumacher
Roman, 304 Seiten (ab 14), Gulliver TB 78819

Andrea ist ein typischer amerikanischer Teenager. Sie besucht die High School, sie hat eine beste Freundin und mit den Eltern kommt sie auch einigermaßen klar. Doch im Sommercamp wird (fast) alles anders, als sie sich in Todd, den coolsten aller Rockstars, verknallt. Für Andrea steht fest: Jetzt beginnt ihr »richtiges« Leben …

Boris Koch (Hrsg.)
Gothic

dark stories
240 Seiten (ab 14), Gulliver TB 74120

Zwanzig schwarz-romantische Geschichten – düster und ungeheuer faszinierend.
Markus Heitz, Tobias O. Meißner, Christian von Aster, Maike Hallmann, Christoph Hardebusch, Jörg Kleudgen und viele weitere bekannte Autoren aus der Gothic- und Fantasy-Szene erzählen von Vampiren, Liebe und Tod, Werwölfen, mysteriösen Begebenheiten und finsteren Endzeitvisionen.

A. M. Jenkins

Hölle war gestern

Aus dem Englischen von Anja Hansen-Schmidt
Roman, 224 Seiten (ab 12), Gulliver TB 74069

Kiriel, ein »gefallener Engel«, hat seinen Job in der Hölle mächtig satt. Viel lieber würde er sich unter den Menschen tummeln: sich den Wind um die Nase streichen lassen, eine Freundin und Sex haben – etwas erleben. Kurzerhand schlüpft er in den Körper des 17-jährigen Shaun. Höllisch gut fühlt sich das an! Doch was als Abenteuer geplant war, gerät bald außer Kontrolle …

A. M. Jenkins

Schattenliebe

Eine Geistergeschichte

Aus dem Amerikanischen von Franziska Gehm
Roman, 248 Seiten (ab 13), Gulliver TB 74033

Sie ist wunderschön – und sie ist ein Geist: Cora. Vor hundert Jahren kam sie nach einem heftigen Streit mit ihrem Geliebten ums Leben. Er, Evan, ist siebzehn, sehr lebendig und sehr verliebt. Doch seit er mit seiner Mutter und der kleinen Schwester in das alte viktorianische Haus eingezogen ist, in dem Cora starb, träumt er jede Nacht von ihr …

www.gulliver-welten.de
Beltz & Gelberg, Postfach 10 01 54, 69441 Weinheim

April Henry
Breakout

Aus dem Amerikanischen von Franziska Gehm
Roman, 192 Seiten (ab 14), Gulliver TB 74123

Im Erziehungscamp »Peaceful Cove« beginnt für Cassie die Hölle: eiserner Drill, Beruhigungsmittel und ständige Überwachung. Weshalb ist sie hier? Schnell dämmert ihr, dass ihr Stiefvater Rick sie aus dem Weg räumen wollte. Denn Cassie ist auf einen schwarzen Fleck in seiner Vergangenheit gestoßen und hat Ricks Pläne durchschaut. Sie muss ihn stoppen, bevor es zu spät ist – es gibt nur einen Ausweg: Flucht.

Andy Behrens
Spritztour

Aus dem Amerikanischen von Heike Brandt
Roman, 256 Seiten (ab 14), Gulliver TB 74122

Ian ist 17, hat einen miesen Ferienjob bei »Dunkin' Donuts« und will endlich sein erstes Mal erleben. Per Chat lernt er die Studentin Danielle kennen und schon bald steht eindeutig S E X zwischen den Zeilen. Doch Danielle lebt am anderen Ende der USA. Und so sattelt Ian kurzerhand seine uralte Karre – die »Kreatur« –, packt seine besten Freunde Lance und Felicia auf die Rückbank und brettert los. Ein schrill komisches Roadmovie nimmt seinen Lauf …

www.gulliver-welten.de
Beltz & Gelberg, Postfach 10 01 54, 69441 Weinheim

Beate Dölling
Alles bestens
Roman, 176 Seiten (ab 12), Gulliver TB 74091

Eines Morgens im Mai steht Johannes vor der Villa seiner Eltern – ohne Schlüssel, ohne Geld, ohne Klamotten. Damit beginnt ein grotesker Trip durch Berlin, ein Leben im Schnelldurchlauf: Johannes stolpert in Partys und Klubs, begegnet Sandra I, folgt der Spur von Sandra II, und trifft schließlich auf Sandra III. Am Ende der Geschichte hat er seine Unschuld verloren und die Erkenntnis gewonnen, was er in Zukunft will: keine Drogen, keine Lipgloss-Schnecken, keine Lügen.

Beate Dölling
Hör auf zu trommeln, Herz
Roman, 256 Seiten (ab 14), Gulliver TB 78963

Katharina ist Arzthelferin und in ihrem Leben soll endlich die Sonne aufgehen. Immerhin ist samstags Party im »Schlachthof« ... und sie ist mit Ingo zusammen. Aber ihr Herz gehört einem anderen: Armand, einem französischen Bandgitarristen, der in Amsterdam lebt. Er schreibt ihr innige Briefe, aber das reicht Katharina nicht. Mitnehmen soll er sie, in sein aufregendes Leben!

Boris Koch

Feuer im Blut

Krimi, 224 Seiten (ab 12), Gulliver TB 74053

München: Mark, Sandro und Bender hängen auf einmal mittendrin in den Ermittlungen zur Brandstiftung an der Sporthalle ihres Gymnasiums. Ein Racheakt des gegnerischen Mittelfeldspielers Nr. 6? Oder steckt der Sprayer dahinter, der die Schulwände mit seltsamen Botschaften beschmiert? Über www.schwarzlichter.com erhalten sie wertvolle Hinweise. Doch dann nimmt die Sache ungeahnte Ausmaße an …

Boris Koch

300 kByte Angst

Krimi, 208 Seiten (ab 12), Gulliver TB 74096

München: Bender erhält ein erschreckendes Video auf sein Handy. Zu sehen ist Sabine, wie sie von zwei Maskierten in einem Keller misshandelt wird. Die Sache lässt Bender keine Ruhe. Wer steckt dahinter? Und warum schweigt Sabine? Mark beschließt, einen Artikel für das »Blackspot« über Slapping-Filme zu schreiben und Sandro verstrickt sich bald in einem gefährlichen Netz aus Neugier und Gewalt …

www.gulliver-welten.de
Beltz & Gelberg, Postfach 10 01 54, 69441 Weinheim

Maike Hallmann
Bellende Hunde
Krimi, 232 Seiten (ab 12), Gulliver TB 74073

Hamburg: Esther versucht den seltsamen Tod eines Labradorwelpen zu klären, den ihre Freundin Nina geschenkt bekommen hat. Was meinte der Tierarzt mit »Hundefabrik«? Und wo kam der Welpe her? Die Tipps von schwarzlichter.com helfen nur wenig. Auch Arne ist ratlos. Doch Esther möchte unbedingt etwas unternehmen und startet eine waghalsige Aktion …

Kathleen Weise
Langer Schatten
Krimi, 224 Seiten (ab 12), Gulliver TB 74074

Leipzig: Niklas jobbt in den Winterferien in einer Kanzlei. Als dort eingebrochen wird, fällt der Verdacht auf den Kneipenbesitzer Clavien. Doch Niklas ist überzeugt, dass es etwas mit den Bildern zu tun hat, die in der Kanzlei hängen. Nur was? Über schwarzlichter.com erhält er einen entscheidenden Hinweis – aber bevor Niklas und seine Freunde mehr verstehen, taucht der hinterhältige Kunststudent Heiner Großmann auf …

Myron Bünnagel

Kalter Asphalt

Krimi, 224 Seiten (ab 12), Gulliver TB 74095

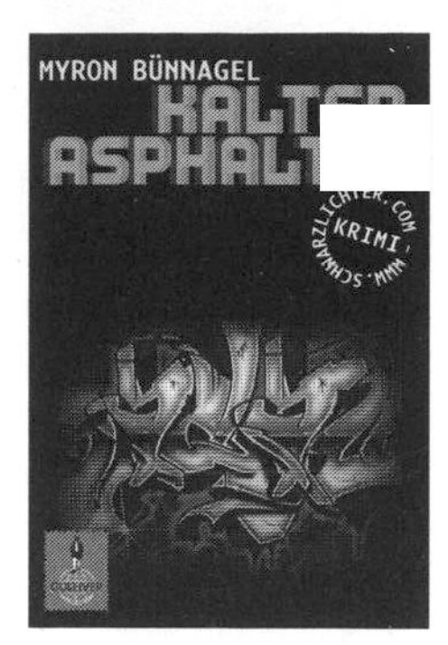

Köln: Ein verzweifelter Hilferuf geht auf schwarzlichter.com ein: Veronica wird vermisst, vermutlich ist sie in Köln untergetaucht. Während Peggy, Fatty und Nick versuchen, das Mädchen zu finden, wird Marie Zeugin eines brutalen Überfalls. Er scheint mit Einbrüchen, Graffiti und dem Schmerzmittel *Tilidin* zusammenzuhängen. Hat Veronica etwas damit zu tun?

Anna Kuschnarowa

Spielverderber

Krimi, 200 Seiten (ab 12), Gulliver TB 74072

Berlin: Ahmad hat panische Angst, als er die harten Schritte hinter sich hört. Doch erst als Tom und Julia eingreifen, lassen die Neonazis von ihm ab. Sie drohen mit Rache. Wenig später stürzt während einer Theaterprobe ein Scheinwerfer auf die Bühne des Kulturzentrums. Ein Unfall? Die User von schwarzlichter.com sind skeptisch. Aber es kommt noch viel schlimmer ...

www.gulliver-welten.de

Beltz & Gelberg, Postfach 10 01 54, 69441 Weinheim

Terence Blacker

Boy2Girl

Aus dem Englischen von Heike Brandt
Roman, 288 Seiten (ab 12), Gulliver TB 78973

Für Matt ist es vorbei mit dem ruhigen Leben in London. Seine Eltern nehmen seinen Cousin Sam aus Amerika bei sich auf. Sam ist 13, wie Matt, aber ungepflegt und dreist. Matt und seine Freunde denken sich eine Mutprobe für Sam aus: Er soll sich in der ersten Schulwoche als Mädchen verkleiden – »Boy to Girl«. Doch Sam nimmt die Herausforderung an und bringt Matt und die anderen ganz schön ins Schwitzen …

Katrin Bongard

Rocco

Roman, 336 Seiten (ab 14), Klappenbroschur 81017

Du hast Freunde, du bist verliebt und du podcastest. Das Leben ist perfekt – denkt Rocco, zumal ihn nur noch wenige Monate von seinem achtzehnten Geburtstag trennen. Doch diese letzten Monate haben es in sich: Musterung, Führerschein, Abitur, Stress bei *Radio Gaga* und mit Mika, und dazu noch Ärger mit der rechten Szene. Schließlich haut Rocco mit ein paar Freunden einfach ab in den Süden. Aber erst als sich die Ereignisse zuspitzen, begreift er, was wirklich in seinem Leben zählt.

www.gulliver-welten.de
Beltz & Gelberg, Postfach 10 01 54, 69441 Weinheim

Anna Kuschnarowa

Schattensommer

Roman, 232 Seiten (ab 12), Gulliver TB 74172

Jannik programmiert ein Netzwerk für die Clique seiner neuen Freundin Nele. Er fühlt sich anerkannt, steigt schnell in der Cliquen-Hierarchie auf. Zu spät begreift Jannik, wie tief er mittlerweile in der rechten Szene steckt. Nach einem Streit mit dem Anführer wird Janniks Leben zur Hölle: Nele wendet sich ab. Sein Hund verschwindet, Daten auf dem PC sind gelöscht, er fühlt sich verfolgt …
Jannik gerät immer tiefer in den Strudel seiner Angst. Wem kann er jetzt noch vertrauen?

Phil LaMarche

American Youth

Aus dem Englischen von Malte Krutzsch
Roman, 240 Seiten (ab 14), Gulliver TB 74170

Drei Freunde und ein Gewehr. Ted passt einen kurzen Moment nicht auf.
Es fällt ein Schuss – und Bobby liegt tot auf dem Wohnzimmerboden. Ted darf der Polizei auf keinen Fall sagen, dass er die Waffe geladen hat. So will es die Mutter. Und der Vater. Doch Ted trifft seine eigene Entscheidung …

www.gulliver-welten.de
Beltz & Gelberg, Postfach 10 01 54, 69441 Weinheim